Les félins hôtes des forêts

VIE SAUVAGE

Le tigre. Texte rédigé par Christine Sourd, Conservation Officer au WW-France ; Thérèse de Chérisey ; Sylviane Debus. Photos : 1, T. Whittaker-Frank Lane Pictures Agency - Rapho ; 2/3, Langsbury G. - Bruce Coleman ; 4/5h et 18, Dani C. - Jeske I. - Bios ; 4b et 7, Shah A. - PLanet Earth Pictures ; 5b, T. McHugh-Ph. Researchers - Jacana ; 6/7h et 6/7m, Grant M. - Bruce Coleman ; 6/7b, Plage D. et M. - Bruce Coleman ; 8/9b, 15m et 19, Ziesler G. - Bruce Coleman ; 9h Varin J. Ph. - Jacana ; 9bd, Jackson - Bruce Coleman ; 10mg et 12/13, Seitre R. - Bios ; 10b et 17h, Earle S. - Planet Earth Pictures ; 11, Lacz G. - NHPA ; 14/15 et 15h, Axel - Jacana ; 17h, Visage A. - Bios ; 20, Bedi. **Le jaguar.** Texte rédigé par François Moutou, docteur vétérinaire, Maisons-Alfort ; Bénédicte Boringe. Photos : 1 et 12/13, Seitre R. - Bios ; 2/3, GDT-Silvestis - NHPA ; 4/5h et 6/7h, Varin-Visage - Jacana ; 4/5b, Camichael J. - NHPA ; 5b, Bartlett J. et D. - Bruce Coleman ; 6b, Houston D. - Bruce Coleman ; 6/7b, 7b et 10/11, Dani C. - Jeske I. - Bios ; 8/9h, McHugh T. - Ph. Researchers - Jacana ; 8b, Rouse A. - Planet Earth Pictures ; 9, Marigo L. C. - Bruce Coleman ; 13h, Dick M. - Animals Animals - Rapho ; 13m, Bernard G.I. - NHPA ; 13b, Sauvanet J. - NHPA ; 14bg, Arnold P. - Bios ; 14bd, Petit T. - Bios ; 15, Warren A. - Ardea ; 17, Gohier F. - Jacana ; 18, Wendler M. - NHPA ; 18/19, Meyer C. C. - Rapho ; 20, Wendley M. - NHPA. **Le puma.** Texte rédigé par François Moutou, docteur vétérinaire, Maisons-Alfort ; Guillemette de Véricourt. Photos : 1, 4/5 et14/15, Foott J. - Survival Anglia ; 2/3, Foott J. - Bruce Coleman ; 4, 6/7 et 8/9, L. Rue III - Bruce Coleman ; 5, 8, 10/11h et 16/17, Krasemann S.J. - Bruce Coleman ; 9, Krasemann S.J. - Jacana ; 10, 10/11b, 11 et 15b, Krasemann S.J. - NPHA ; 12/13, Carr R.P. - Bruce Coleman ; 15h, McHugh T. - Ph. Researchers - Jacana ; 18/19, 19 et 20, J. et Des Bartlett - Survival Anglia. **Le lynx.** Texte rédigé par Véronique Herrenschmidt, docteur en écologie, ingénieur à l'O.N.C. ; Sylviane Debus. Photos : 1, Varin J. P. - Jacana ; 2/3, Fisher - Pix ; 4, 4/5b, 8 et 16/17, Ferrero-Labat - Jacana ; 4/5h, Ferrero J.-P. - Jacana ; 5bd, Ferrero J.-P. - Ardea ; 6/7h, 6/7b et 9, Ausloos H. ; 7, Pons A. - Bios ; 8/9h, Carey A. - Ph. Researchers - Jacana ; 8/9b, Wothe K. - Bruce Coleman ; 10/11, Klein - Pix ; 12, Burton J. - Bruce Coleman ; 13h, 18, 19 et 20, Visage A. - Bios ; 13b, Visage A. - Bios ; 14h, McHugh - Ph. Researchers - Jacana ; 14/15b, Vala - Jacana ; 15, Root J. - Survival Anglia.

Cartes de Edica. Schémas et dessins de Guy Michel, Thierry Chauchat, Roman Zima.

ISBN 2-84264-026-8 (volume 8)

Imprimerie REG - Paris. Dépôt légal juillet 1996 Imprimé en France - Printed in France - © SPL 1996.

LE TIGRE

« Au cœur de la jungle se trouve une cité construite par les tigres, dont les maisons sont en peaux d'homme tendues sur des piliers d'ossements humains. » Ce récit fabuleux qui se raconte encore en Malaisie illustre bien la terreur et la fascination qu'inspire le tigre aux attaques foudroyantes, aux canines redoutables, aux griffes longues de plusieurs centimètres.

Il est vrai que le tigre est le plus gros des Félidés, ces carnivores qui se nourrissent presque exclusivement d'animaux qu'ils tuent. Son ancêtre le plus lointain, le tigre à dents en lame de sabre, ou smilodon, dont on a découvert les fossiles dans une grotte de l'Arctique, avait d'impressionnantes canines de plusieurs dizaines de centimètres de long ! Au pléistocène (il y a environ un million d'années), ces mammifères carnivores peuplaient le nord de l'Asie, qui jouissait alors d'un climat tempéré. On y rencontrait toutes sortes d'herbivores, dont le renne, l'élan ou le bison. Quand les glaciations successives du début du quaternaire amenèrent de nombreuses espèces animales à se déplacer vers des contrées plus accueillantes, la plupart des tigres suivirent les migrations de leurs proies. Ceux qui restèrent sur place et survécurent au froid sont les ancêtres des actuels tigres de Sibérie. Les autres, progressant vers le sud et l'ouest, colonisèrent les steppes, les forêts, les plateaux et les montagnes dans le monde entier, à l'exception de Madagascar et de l'Océanie. S'adaptant peu à peu à leurs nouveaux habitats, ils se différencièrent en plusieurs sous-espèces ou races géographiques, dont certaines ont aujourd'hui disparu.

Animal forestier par excellence, le tigre peut vivre partout où abondent les proies et où il trouve des fourrés propices aux embuscades. Comme tous les félidés, il est particulièrement bien adapté à la chasse. Son pelage aux rayures sombres lui fait un parfait camouflage quand il se tapit sous l'ombre des arbres ou au milieu des herbes ; sa démarche feutrée est si souple qu'il semble à peine effleurer le sol ; sa vivacité et sa capacité de détente lui permettent de faire un bond de cinq à six mètres pour se jeter sur sa victime.

Mais ce n'est pas pour autant le fauve cruel et invincible que l'on a longtemps dépeint ni cet animal qui « n'a pour instinct qu'une rage constante, une fureur aveugle qui ne connaît ni ne distingue rien... » comme le décrivait Buffon, le grand naturaliste du XVIIIe siècle. Les tigres mangeurs d'hommes ne sont le plus souvent que des animaux blessés, incapables de chasser normalement, ou ceux dont l'espace vital est tellement réduit qu'il ne leur suffit plus pour subvenir à leurs besoins. □

Dans l'air immobile de la nuit, une harde
de sambars (cerfs des marais) franchit un cours d'eau,
inconsciente du danger proche. Sans bouger, un tigre
les guette. Sa robe feu rayée de noir se confond
avec les hautes herbes. Lentement, le félin s'approche
sans bruit. Soudain, queue dressée, oreilles en arrière,
il jaillit du couvert et bondit sur un jeune faon, qu'il entraîne
vers les hauts-fonds. Il le noie. De retour sur la rive,
sa proie entre les pattes, le félin pousse un puissant
rugissement. Cela n'a duré que quelques secondes.

Chaque nuit, le tigre surveille son territoire

■ Les tigres mènent une vie solitaire et nocturne. S'ils ne recherchent pas la compagnie de leurs semblables, ils ne manifestent cependant aucune agressivité lors de rencontres fortuites. Ce n'est que dans les réserves, où les populations sont plus denses, que l'on peut voir parfois des tigres adultes se disputer une même proie. Lors de leurs rapprochements furtifs, les tigres communiquent entre eux par des sons et par des signes de reconnaissance : position des oreilles, redressement de la tête, courbure des reins diffèrent selon que la rencontre est amicale ou agressive.

Deuxième grand prédateur après l'ours, le tigre a besoin d'un

MÂLE ET FEMELLE : DES DOMAINES DE TAILLE DIFFÉRENTE

Les mâles s'interdisent mutuellement l'accès de leurs territoires, qui se recouvrent rarement. Mais le domaine d'un mâle (en rouge) englobe souvent les territoires plus petits de deux ou de trois femelles (en bleu).

Les tigresses acceptent que leurs territoires se recoupent. Dans une aire différente pour chacune, elles préservent cependant une zone vitale, centre principal de leurs activités, dont l'entrée est farouchement interdite.

En s'établissant à la périphérie des domaines parentaux, les jeunes favorisent les mélanges génétiques entre populations de tigres.

♂ territoire d'un mâle   ♀ territoire d'une femelle

vaste territoire, dont il puisse exploiter les ressources sans les épuiser. Tout au long de l'année, mâles et femelles déploient un large éventail de signalisations visuelles et olfactives qui indiquent leur présence ou signalent le statut reproducteur des femelles. La majorité des marques se situe aux frontières des différents territoires où elles servent de limites, à proximité de l'eau où la probabilité de rencontres entre tigres est plus forte et aux alentours des groupes de proies éventuelles. Tigres et tigresses déposent des fèces aux endroits stratégiques ou les aspergent d'urine, mêlée de sécrétions odorantes produites par les glandes anales : ces odeurs ont un effet répulsif sur les autres tigres. Ils complètent ces balises en grattant le sol de leurs pattes arrière ou en lacérant les troncs de leurs pattes avant, faisant apparaître ainsi un contraste coloré repérable par les autres tigres.

Une surveillance difficile

Vérifié et redéfini lors de chaque promenade nocturne, le marquage constitue l'une des activités principales du tigre, avec la chasse et le repos diurne. Mais, comme le territoire est généralement trop vaste pour être exploré chaque nuit dans son ensemble, les parties non visitées risquent d'être annexées par les voisins ou peuvent devenir le terrain de chasse temporaire de jeunes tigres en quête de territoire. De plus, en période de fortes pluies, odeurs et traces s'effacent rapidement et il

Inspecter les bornes odorantes laissées lors d'un précédent passage est une tâche quotidienne. Si besoin est, le tigre renforcera de son urine cette balise qui indique sa propriété.

peut y avoir alors coexistence de deux ou trois individus sur un même territoire. C'est le cas également lorsqu'une femelle qui vient de mettre bas n'entretient plus ses balises ou lorsqu'un tigre affaibli ou sénile est incapable de maintenir ses marques. Lorsqu'un animal meurt, ses traces disparaissent en quelques jours et son territoire est rapidement colonisé par un nouveau résident.

Des études menées entre 1967 et 1981 par six spécialistes permettent de donner un ordre de grandeur des territoires en fonction de l'habitat et du nombre de proies : dans les forêts humides et les prairies, où les proies sont abondantes, le mâle occupe en moyenne 60 km², la femelle 30 km². En U.R.S.S., où les forêts mixtes (c'est-à-dire composées d'arbres à feuilles caduques et persistantes) offrent une quantité inégale de proies, le mâle a besoin de 900 km² et la femelle de 250 km².

Cependant, la taille des territoires est très variable. En Inde, 10 à 15 tigres se partagent 320 km², tandis qu'au Népal, dans le parc national royal Chitawan, la densité est de 1 adulte par 36 km². En Mandchourie, un mâle exploite 4 000 km² et une femelle 500 km². ☐

Le tigre aime dormir à l'ombre. Essentiellement terrestre, il monte rarement dans les arbres. Dans la journée, il arrive que la chaleur et le manque d'air l'obligent à grimper pour se reposer. Ce félin, le plus gros de tous, choisit alors une grosse et solide branche.

Excellent nageur et aimant l'eau, le tigre attache une grande importance aux ruisseaux. Tout territoire en possède un, et c'est sur ses rives, parmi les herbes et les buissons, qu'il recherche la fraîcheur durant les heures chaudes de la journée.

Dans les hautes herbes, un chasseur invisible guette sa proie

La chasse.
Les longues périodes de guet suivies de courses fulgurantes sur des terrains accidentés épuisent rapidement les forces du tigre, l'obligeant à de fréquents repos entre chaque tentative, surtout lorsqu'il s'agit de gros gibier dont l'attaque est parfois dangereuse. Les proies les plus courantes sont de taille réduite, comme ce singe entelle isolé. Tout s'est passé très vite. Le félin a surgi d'un buisson proche, s'est jeté sur le singe, lui brisant les vertèbres et l'étouffant. Quelques soubresauts et c'est la mort. Le tigre emporte sa victime dans un endroit plus touffu de la forêt pour la dévorer à loisir. De cette proie de seulement quelques kilos, il ne fera qu'une dizaine de bouchées.

■ Dès le crépuscule, le tigre part en chasse. En une nuit, il peut parcourir jusqu'à 20 km (parfois 50 km lorsque c'est un tigre de Sibérie) au rythme de 4 à 5 km par heure. Il marche silencieusement, se fiant à sa vue et à son ouïe plus qu'à son odorat.

Les tigres s'attaquent à des proies variées et qui différent selon les sous-espèces. Hormis l'ours, la seule proie véritablement dangereuse pour le tigre est le porc-épic : les pattes blessées par les épines peuvent être le siège d'une infection mortelle.

Si le tigre marque sa préférence pour les grosses proies telles que les cervidés et les bovidés sauvages, son ordinaire se constitue très souvent de petits mammifères ou d'oiseaux. Dans les pays de mousson, comme l'Inde, lorsque les proies de terre sèche fuient les inondations, le tigre se rabat sur le gavial (crocodilien), le python, voire les grenouilles.

Tous les tigres se montrent adroits à la pêche, lorsque l'occasion s'en présente au cours d'un bain rafraîchissant. Ils s'emparent alors d'un seul coup de patte du poisson imprudent.

Lorsqu'il a repéré une proie, le tigre se met à l'affût, presque immobile. S'il avance, c'est pas à pas, mais il attend plutôt que sa victime se rapproche à une dizaine de mètres de lui. L'attaque est alors foudroyante. Chaque fois, le tigre improvise un assaut adapté à la configuration du terrain et à la position de la proie. Si l'agression échoue, il dédaigne généralement la poursuite, préférant partir à la recherche d'une nouvelle prise. Selon les études de l'Américain George Schaller, menées sur plusieurs années, 95 % des attaques se soldent par un échec !

Chasseur expérimenté, le tigre choisit la méthode de mise à mort la mieux adaptée. Il mord les petites proies au cou, brisant ainsi leur colonne vertébrale. Il enserre les plus grosses de ses pattes avant,

les griffes plantées dans les chairs. Quand une proie, comme le buffle, dépasse de moitié son propre poids, il l'achève en lui mordant la gorge. L'animal meurt étouffé, la trachée écrasée.

Un festin de plusieurs jours

À moins d'être affamé par un jeûne de plusieurs jours, le tigre ne dévore pas sa victime immédiatement. Il la transporte sur 200 à 500 mètres jusqu'à un endroit retiré. Le félin commence le festin par les quartiers arrière et le finit en éventrant la carcasse. Les quantités de viande ingérées en une journée peuvent varier de 6 à 20 kg et atteindre, exceptionnellement, 50 kg. La dégustation d'une carcasse de buffle peut donner lieu à des agapes de quatre à cinq jours.

Adaptés à la capture irrégulière de grosses proies, les tigres sont capables de manger plus qu'à leur faim et de jeûner ensuite trois ou quatre jours. Ils profitent ainsi au mieux d'une chasse réussie, en évitant la perte d'une viande avariée.

S'il arrive à tous les tigres de consommer en très peu de temps une quantité impressionnante de viande, la quantité moyenne ingérée sur une longue période est moins imposante et varie en fonction de l'habileté du chasseur. Le nombre de proies tuées par un tigre va de deux par semaine à une tous les dix jours.

Le tigre interrompt fréquemment son banquet pour aller boire au point d'eau le plus proche et pour de courtes siestes. Il protège alors la carcasse entamée soit en la cachant dans un fourré, soit en la recouvrant de branchages ou en l'immergeant temporairement dans l'eau pour supprimer les odeurs révélatrices.

Si un charognard s'abat prématurément sur son garde-manger, le tigre n'hésite pas à le tuer. Lorsque la viande est faisandée, il abandonne les restes aux autres espèces animales. Il ne repartira chasser que lorsque ses réserves seront épuisées et que la faim se fera sentir. □

TABLEAU DE CHASSE ANNUEL D'UN TIGRE DU BENGALE

D'après une étude menée par le biologiste George Schaller sur plusieurs années dans la réserve de Kanha, au centre de l'Inde, un tigre du Bengale consomme en un an une moyenne de 5 à 7 kg de viande par jour, soit moins de 3 tonnes par an.

Les proies les plus communes sont les ongulés tels le cerf axis, le barasingha ou le gaur.

Les diverses petites proies capturées occasionnellement incluent lézards, serpents, tortues, grenouilles, poissons, crabes, criquets et termites.

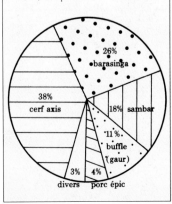

26% barasinga
38% cerf axis
18% sambar
11% buffle (gaur)
3% divers
4% porc épic

Quelques instants de tendresse dans une vie solitaire

■ Les seules rencontres effectives entre mâles et femelles ont lieu à la saison de reproduction.

C'est l'odeur particulière dégagée par l'urine de la tigresse en chaleur qui attire les mâles et provoque leur désir d'accouplement. La tigresse étant fécondable plusieurs fois par an, la fécondation pourrait se faire, théoriquement, toute l'année. En fait, il existe chez cette espèce une période plus favorable, appelée pic d'œstrus, dont le moment varie selon les régions. Les tigresses observées en zoo ont des cycles œstriens de 20 à 30 jours, avec des périodes de chaleur de 7 jours. Ces données, fournies par l'analyse des dosages hormonaux dans les urines des femelles, sont impossibles à effectuer auprès des tigresses en liberté. Cependant, des observations indi-

rectes dans la nature ont montré de nettes variations selon les sujets. Il peut arriver qu'un couple se maintienne plus de 7 jours. D'autres facteurs que les chaleurs seules semblent intervenir, comme probablement l'expérience sexuelle de l'animal et peut-être l'association entre mâles et femelles en dehors des périodes de vraie réceptivité.

Les chaleurs, qui durent environ une semaine, en nature, se répètent à des intervalles variant de 1 à 3 mois. Dans certaines régions, comme en Sibérie, les territoires sont si étendus que mâles et femelles ne se rencontrent que difficilement, ce qui implique fatalement une baisse de la natalité. À l'intérieur des limites des réserves, il existe au contraire un fort taux de consanguinité.

Duel courtois

En général, le tigre dont le territoire englobe celui de la femelle a la suprématie s'il est présent lors des chaleurs de la tigresse. Mais, un mâle voisin peut profiter de son absence et s'accoupler avec la tigresse. Dans la nature, il arrive que plusieurs mâles courtisent une même femelle. Ils se trouvent ainsi attirés au même endroit, et la confrontation est inévitable. Les joutes entre mâles sont soumises à des règles très strictes. Affrontements des regards, frémissements des moustaches, exhibition des canines et tentatives de griffures n'ont d'autre but que d'intimider le rival. Ces combats se soldent tout au plus par quelques égratignures. À chaque étape, l'un des adversaires peut mettre un terme au duel. Il lui suffit pour cela de marquer ostensiblement son désintérêt en détournant la tête.

Perpétuer l'espèce

Une fois que la tigresse est conquise, la proposition d'accouplement peut provenir aussi bien du mâle que de la femelle. Le tigre pose son museau sur la tigresse, comme s'il déposait un baiser, tandis que la tigresse se frotte contre lui. Si elle est très excitée, elle

pousse des cris rauques, auxquels le mâle répond en écho. Elle s'ébroue, frotte ses vibrisses contre celles du mâle et se roule sur le sol en agitant ses pattes. Puis, couchée à plat ventre, elle s'offre à lui. Tout en grognant sourdement, le mâle se place sur elle et pince la peau de son cou entre ses dents. Au moment où ils s'accouplent en feulant, la femelle cherche à échapper à l'étreinte du mâle, qui la retient en la mordant, la blessant parfois profondément. Dès que l'accouplement est effectué, la femelle se relève, plus ou moins agressive envers le mâle, qui reste sur ses gardes. Pendant la période nuptiale, le couple se déplace beaucoup à l'intérieur du territoire de la femelle et peut se livrer des dizaines de fois par jour à ce même jeu amoureux.

Durant leur courte idylle, le tigre et la tigresse partagent la chasse et les repas et dorment côte à côte. Puis ils se séparent, le mâle pouvant partir à la recherche d'une autre partenaire. Si son compagnon reste avec elle jusqu'à la mise bas, la tigresse le considère avec méfiance. Elle surveille étroitement ses petits, au cas où il tenterait de les dévorer, jusqu'au jour où elle réussit à le persuader qu'il est temps pour lui de s'éloigner.□

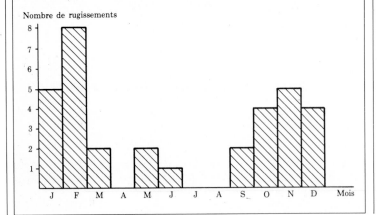

QUAND LES TIGRES APPELLENT À L'AMOUR

Le biologiste américain George Schaller a aussi mesuré le nombre de rugissements poussés par les tigres de la réserve indienne de Kanha, entre 5 h et 9 h et entre 15 h et 19 h, au cours de l'année (1967).

Il a observé que la fréquence des rugissements est faible de mars à septembre, augmente brusquement fin octobre et

atteint un pic début février. Chez tous les tigres, le nombre de rugissements augmente pendant la période de reproduction. La saison des amours en Inde se situe en avril-mai et octobre-novembre ; en Malaisie et en Indochine, elle a lieu de novembre à février ; et dans les pays tempérés en décembre-janvier.

Nombre de rugissements

Mâle et femelle font preuve d'une grande tolérance mutuelle à la période des amours, seul moment où ils se trouvent ensemble.

Après le premier accouplement, la femelle, agressive, peut refuser le mâle. Mais, généralement, celui-ci la couvrira 5 ou 6 fois à un quart d'heure d'intervalle.

Le rugissement puissant du tigre retentit principalement en deux occasions : lorsque l'animal vient de tuer une proie ou qu'il est à la recherche d'un partenaire sexuel.

Une mère qui défend courageusement ses petits

■ Les seules descriptions de naissances proviennent d'observations en zoo, car il est très difficile d'approcher une tigresse sauvage en travail et peu souhaitable de lui infliger une telle perturbation dont les conséquences pourraient être graves pour les petits.

Dès les premières contractions, la tigresse lèche la région génitale, puis exerce des poussées, assise sur son postérieur. Parfois, elle reste debout jusqu'à l'apparition du premier petit, ou s'assied sur une patte en soulevant l'autre pour faciliter la délivrance. Lorsque les deux ou trois chatons de la portée sont nés, elle les libère un à un du sac amniotique et les sèche en les léchant. Les mouvements des nouveau-nés éveillent l'instinct maternel de la tigresse. S'ils sont mort-nés, elle les ignore.

Les nouveau-nés mesurent 45 cm avec la queue et pèsent environ 1 kg. Comme tous les prédateurs, les tigres naissent aveugles et le restent pendant 6 à 14 jours. Les dents de lait pointent au bout de deux semaines et leur denture adulte est en place à l'âge d'un an. Dès deux mois, ils complètent les tétées par de petites quantités de viande. Ils sont alors autorisés à explorer un cercle de deux ou trois mètres autour de la tanière. Vifs et espiègles, les jeunes tigres passent une grande partie de leur temps à jouer entre eux et avec leur mère. Ils sont sevrés à 6 mois.

Tant que les jeunes ne se déplacent pas, la mère n'admet aucun intrus à proximité. Elle tue l'ennemi qui s'approche ou transporte ses rejetons un à un vers un lieu plus sûr, les serrant délicatement par la peau du cou entre ses mâchoires puissantes. Pendant le trajet, les petits, silencieux, arrondissent le dos et replient queue et pattes sous leur ventre.

Une émancipation progressive

Très vite après la naissance, la mère part chasser, laissant les petits seuls dans leur cachette. Lorsqu'ils atteignent l'âge de 2 mois, si la prise a été bonne, elle les emmène auprès de la carcasse et ils restent là jusqu'à ce que tout soit mangé. La mère n'introduit jamais de nourriture dans la tanière. À l'âge de 6 mois, les jeunes commencent à chasser de petits volatiles ou des faons, mais ne s'éloignent jamais de plus de 50 mètres de leur mère. Deux mois plus tard, la tigresse les conduit dans ses propres chasses.

Après s'être assurée que la proie est bien achevée, elle laisse les petits se rassasier avant de se nourrir elle-même.

Les petits mâles de 18 mois et les jeunes femelles de 2 ans, forts de leurs 150 à 200 kg, sont généralement capables de chasser seuls ou avec leurs frères et sœurs. Peu à peu, le groupe se défait et chacun chasse en solitaire. Il semblerait que, parvenus à l'âge adulte, les tigres d'une même portée continuent à se reconnaître entre eux.

Si la mère meurt, laissant des petits de plus de 6 mois, ils peuvent essayer de se débrouiller seuls. Mais, s'ils sont trop jeunes, ils meurent de faim. On ne connaît aucun exemple de tigre venu en aide à des orphelins.

Lorsque la tigresse va mettre bas une nouvelle portée, elle se sépare définitivement des aînés. S'ils ne sont pas émancipés, elle s'isole et les retrouve parfois ensuite. Mais il est rare de voir une femelle accompagnée de deux portées. □

La tétée est un moment privilégié où les liens entre mère et petit sont les plus intimes, chez les tigres comme chez tous les mammifères. Le jeune tigre accompagne la succion d'un piétinement du ventre de sa mère avec les pattes. Vers 2 mois, il complétera cette alimentation lactée par un peu de viande.

*Double page suivante :
Tigre reposant parmi les lentilles d'eau.*

UNE FAIBLE NATALITÉ

Les populations de tigres ont un faible taux de renouvellement, dû à une maturité sexuelle tardive (3-4 ans pour les femelles, 4-5 ans pour les mâles). De plus, la moitié des jeunes, proies des ours ou parfois même de tigres mâles, ne dépassent pas l'âge de 2 ans. En revanche, si une femelle perd sa portée, elle peut redonner naissance à des petits cinq mois plus tard. Une tigresse met au monde, en moyenne, 2 chatons tous les deux ans. S'il naît autant de mâles que de femelles, un inventaire réalisé dans une réserve fait apparaître une sélection naturelle plus sévère envers les mâles.

Très joueurs et curieux, les tigres adolescents utilisent tout ce qui les entoure, liane rebelle ou tortue qui barre leur chemin, pour exercer leurs facéties.

Tigre
Panthera tigris

■ Autrefois classé avec les chats dans le genre *Felis*, le tigre fut transféré au XIXᵉ siècle dans le genre *Panthera*, à la suite des études comparatives du naturaliste anglais Owen. En effet, chez les membres du genre *Felis*, l'os hyoïde s'appuie à la base du squelette par une série d'os courts joints bout à bout. Par contre, chez les animaux du genre *Panthera*, cette série est imparfaitement ossifiée et remplacée par un long ligament élastique, qui permet des mouvements plus amples du larynx et un volume vocal beaucoup plus puissant. À la différence des chats, qui peuvent ronronner à l'inspiration et à l'expiration, les membres du genre *Panthera* ne ronronnent qu'à l'expiration. Le genre *Panthera* regroupe les lions *(Panthera leo)*, les tigres *(Panthera tigris)*, les panthères ou léopards *(Panthera pardus)*, les panthères des neiges *(Panthera uncia)* et les jaguars *(Panthera onca)*. Ces grands félins sont étroitement apparentés ; des croisements entre tigre et lionne ou lion et tigresse se sont même produits en captivité, et les petits s'appellent respectivement le tigron et le tiglon.

Le pelage du tigre, zébré de rayures verticales sur le dos et les flancs, varie du fauve au roux. Sa fourrure comporte des zones ivoire : le ventre, l'intérieur des pattes, la gorge, les joues et le pavillon des oreilles. Le contraste des rayures sombres sur le pelage d'ambre lustrée est un camouflage efficace ; tapi sous les arbres ou parmi les herbes sèches, le tigre est presque invisible.

Excellent marcheur, le tigre est taillé plus pour le saut que pour la course. Il peut sauter d'un bond un fossé large de 4 m, voire de 10 m si le terrain est en pente, ou un obstacle haut de 1,80 m. C'est, de plus, un excellent nageur : le tigre de Sumatra relie à la nage des îles distantes de plusieurs kilomètres et affronte sans peine les courants de rivières larges de 6 à 8 km.

	TIGRE
Nom :	*Panthera tigris*
Famille :	Félidés
Ordre :	Carnivores
Classe :	Mammifères
Identification :	De grande taille, seul félin à robe rayée
Taille :	De 1,40 m à 1,80 m, plus la queue de 60 à 95 cm
Poids :	Mâle : 180 à 250 kg, femelle : de 100 à 160 kg
Répartition :	Continent asiatique (Inde, Indochine, Chine, Sibérie, Sumatra)
Habitat :	De la jungle tropicale à la taïga
Régime alimentaire :	Carnivore strict
Structure sociale :	Solitaire ; la femelle assume seule l'éducation des petits
Maturité sexuelle :	Mâle : 4 ou 5 ans, femelle : 3 ou 4 ans
Saison de reproduction :	Variable selon les régions
Durée de gestation :	98 à 110 jours
Nombre de petits par portée :	2 en moyenne, 5 au maximum en liberté, 7 au maximum en captivité
Poids à la naissance :	1 kg
Espérance de vie :	16 à 18 ans
Longévité :	26 ans
Effectifs :	Environ 8 000
Statut, protection :	Menacé ; classé en annexe I de la convention de Washington
Remarques :	Record de taille et de poids : un tigre de Sibérie de 2,80 m et de 384 kg. Record d'endurance : 29 km à la nage pour un tigre de Sumatra.

Épaules.
Des épaules puissantes, des pattes antérieures musclées et de grandes pattes postérieures qui facilitent le saut sont des atouts essentiels pour attaquer par surprise.

Collerette.
Une collerette imposante en forme de favoris s'étale derrière les joues. Une sorte de barbiche au menton donne au tigre un profil caractéristique.

Tête.
La tête est masquée de rayures noires qui diffèrent d'un individu à l'autre et permettent de l'identifier.

Moustaches.
Les moustaches, ou vibrisses, sont sensibles aux obstacles. Grâce à elles, le tigre peut garder le regard fixé sur sa proie en l'approchant.

Signes particuliers

Feulements et miaulements

Le feulement, ou rugissement, est l'expression vocale la plus puissante du tigre, qui peut porter jusqu'à trois kilomètres de distance. Les tigres rugissent après avoir tué une proie ou au cours d'un combat, et les femelles feulent lorsqu'elles sont en chaleur. Si un tigre croise un congénère indésirable ou un être humain, il gronde, pousse des grognements menaçants ou siffle. À l'attaque, il crache comme un chat. Lors d'une rencontre amoureuse ou en famille, il émet au contraire de doux grognements, gémit, ronronne et va même jusqu'à miauler.

Œil de tigre

Les yeux saillants, à la pupille ronde, rendent possible un large champ visuel. La pupille, équipée d'une couche de cellules réfléchissantes, permet au félin une très bonne vision nocturne. La nuit, en fonction de la position du tigre par rapport à une source lumineuse, la couleur de la lumière réfléchie dans ses yeux varie du rouge orangé (œil face à la source lumineuse) au bleu-vert (œil éclairé par le côté). La curieuse couleur jaune de l'iris a fait que le nom « œil-de-tigre » a été attribué à une variété de quartz qui allie la froideur de la pierre à l'éclat du jaune mordoré.

Canines redoutables

Outre les qualités d'un grand prédateur, discret, tenace, agile et puissant, le tigre possède une mâchoire d'acier, plantée de la dentition spécifique des grands carnivores : quatre canines acérées, longues de 7,5 cm, se referment sur la gorge de ses proies, garantissant une mise à mort fulgurante et lui permettant de déchiqueter ensuite ses victimes.

Griffes aiguës

Les griffes, de plusieurs centimètres, sont les plus longues des griffes de tous les félidés. Elles sont rétractiles, comme celles des chats : un jeu de ligaments et de tendons permet au tigre de les rentrer à volonté dans un fourreau protecteur et de les conserver ainsi bien aiguisées.

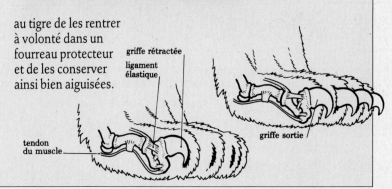

griffe rétractée
ligament élastique
tendon du muscle
griffe sortie

Milieu naturel et écologie

■ Le tigre a commencé il y a 500 000 ans sa lente évolution vers sa forme actuelle. Au cours de sa migration vers des contrées plus chaudes, il s'est adapté progressivement à ses nouveaux habitats. La route du sud l'a mené dans les forêts tropicales et dans les îles du Sud-Est asiatique, jusqu'en Mandchourie, en Corée du Sud, en

---

LE TIGRE, UN SUPER-PRÉDATEUR

Le tigre, situé au sommet de la pyramide écologique, joue un rôle de régulateur des populations de mammifères carnivores et herbivores qu'il chasse. Sans sa présence, ces espèces se multiplieraient et épuiseraient la couverture végétale, favorisant ainsi l'installation de déserts.

La réserve indienne de Manas (2 837 km², 123 tigres en 1984) accueille le plus grand nombre de tigres après celle de Sunderbans et tout l'éventail d'une faune diversifiée. Les principales espèces de mammifères, toutes proies potentielles du tigre, comprennent, parmi bien d'autres : le langur doré (singe), des petits félins, la panthère longibande, l'éléphant, le rhinocéros, le buffle d'eau, le gaur, le cerf des marais, ou barasingha, le sanglier pygmée et le sanglier d'Assam, parfois le macaque rhésus, l'ours à collier, le cerf sambar et le muntjac.

Chine et au Viêt-nam. Des fossiles de formes récentes, trouvés en Chine, en Corée du Nord, à Java et en Inde, établissent de façon certaine ce parcours de migration. La route de l'ouest conduisit le tigre en Turquie, en passant par le Caucase, la Perse et l'Afghanistan. Outre les preuves paléontologiques, d'autres indices confortent l'hypothèse de la migration avancée par Mazak en 1965 : l'existence, chez le tigre des régions chaudes d'Inde centrale, d'un pelage d'hiver épais qui mue rapidement au printemps et la présence de tigres en Mandchourie, dans l'Himalaya et dans les monts Altaï à plus de 4 000 m d'altitude.

Ces longs processus sont à l'origine de nouvelles formes, tailles et couleurs, qui ont permis d'identifier 8 sous-espèces de tigre.

Le tigre du Bengale *(Panthera tigris tigris)*, le plus largement distribué, vit dans les forêts tropicales humides de l'Assam ou du Bengale, mais aussi dans les mangroves à l'eau saumâtre du sud-ouest et du nord de l'Inde, comme celle du delta du Gange. Il vit également en altitude, dans la végétation alpine et les forêts à feuillages caducs du Népal, dans l'Himalaya. On le trouve aussi dans les forêts de bambous du centre de l'Inde et dans les savanes herbeuses et boisées de la région du Teraï ; ainsi que dans la forêt mixte sèche appelée forêt à mousson (arbres à feuilles persistantes et arbres à feuilles caduques), notamment au nord de l'Inde.

Le tigre d'Indochine *(Panthera tigris corbetti)*, sous-espèce déterminée en 1968, habite les forêts denses de Birmanie et les forêts et savanes d'Indochine. Il est plus petit et plus sombre que le tigre du Bengale.

Le tigre de Chine *(Panthera tigris amoyensis)*, aussi plus petit, vit dans les savanes herbeuses, les forêts de chênes et de peupliers et les montagnes de Chine centrale et occidentale, couvertes de chênes, de conifères et de fougères arborescentes.

Le tigre de la Caspienne *(Panthera tigris virgata)* a disparu depuis le milieu du XXᵉ siècle. Son habitat de prédilection était le « tugaï », zone inondable des bords de rivières, plantée d'arbres et de buissons, aujourd'hui entièrement détruit. En Iran, il occupait les flancs de collines au couvert épais.

Le tigre de Sibérie *(Panthera tigris altaica)*, plus grand des félins vivants, habite les forêts mixtes boréales (chênes et conifères).

Le tigre de Sumatra *(Panthera tigris sumatrae)*, aux rayures souvent doubles, est plus petit que le

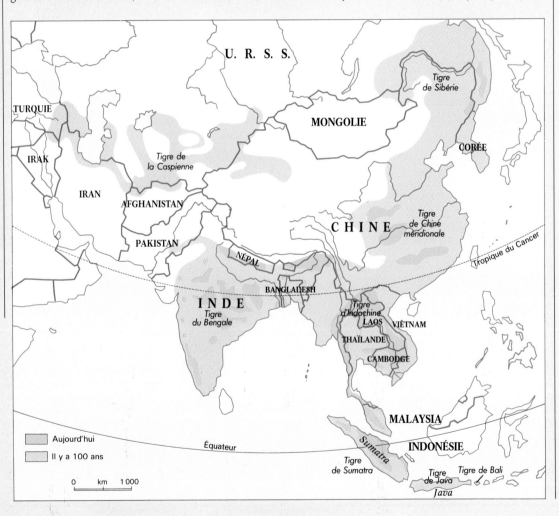

Aire de répartition du tigre.
Autrefois répandu dans la majeure partie de l'Asie, le tigre a, depuis cent ans, été confiné à des zones très limitées. Il est encore présent dans quelques endroits isolés qui sont concentrés autour du tropique du Cancer.

tigre du Bengale. Il vit dans la forêt tropicale humide de cette île, riche en palmiers, lianes, orchidées, arbustes et grands arbres. Cette végétation, identique à Java et à Bali, accueillait les deux sous-espèces suivantes, aujourd'hui disparues :

le tigre de Java *(Panthera tigris sondaica)* qui ressemblait au tigre de Sumatra

le tigre de Bali *(Panthera tigris balica)* qui était encore mal connu au moment de sa disparition.

Une adaptation réussie à toutes les forêts d'Asie

L'existence de huit sous-espèces met en évidence les divers facteurs d'influence : d'une part, la latitude et l'altitude, qui conduisent à des variations de températures et d'hygrométrie ; d'autre part, le caractère continental ou insulaire du milieu. Les tigres des îles sont plus petits que ceux du continent ; ceux qui habitent les régions chaudes et humides, à la végétation dense et ombreuse, sont plus sombres et ont un pelage moins fourni en hiver que ceux des

régions de montagnes ou de hauts plateaux. L'habitat du tigre est toujours très fermé, la végétation y est serrée et l'eau abonde. Les proies y sont peu nombreuses et petites.

En revanche, les compétiteurs sont rares ou de faible densité. Le seul concurrent potentiel est un

chien sauvage indien, le dhôle, qui vit et attaque en meute et se rencontre sur la plus grande partie de l'aire de répartition du tigre.

Les caractéristiques du milieu où vit le tigre sont sans doute à l'origine de son mode de vie solitaire. En effet, le tigre est doté de

nombreuses possibilités de communication, de grandes facultés d'observation et d'une bonne connaissance de ses semblables. On pense que ces qualités lui auraient permis de vivre en groupe, si son habitat avait été différent. □

Le tigre de Sibérie est un géant pour les autres tigres. Dispersés sur d'immenses territoires, mâles et femelles se rencontrent rarement. Malgré les conditions limites de survie dans la nature, ils ne sont pas menacés, car ils sont plus nombreux en captivité qu'en liberté. La plupart des 1 000 tigres des parcs zoologiques sont des tigres de Sibérie.

Les tigres du Bengale, les plus répandus des tigres aujourd'hui, ne sont plus que 5 000 au monde, dont 4 000 vivent en Inde.

Opération tigre

Au cours du XXᵉ siècle, les effectifs des différentes sous-espèces de tigres se sont réduits de façon dramatique. Leurs habitats ne réunissent plus les conditions satisfaisantes de survie : les espaces sont rétrécis et morcelés par des terrains déboisés, des routes et la présence toujours croissante des groupes humains. Les populations résiduelles de tigres sont trop peu nombreuses pour assurer leur reproduction et leurs possibilités d'échange génétique sont minimes. Certains scientifiques affirment qu'au-dessous du seuil de 2 000 individus l'espèce dégénère et est menacée d'extinction rapide. C'est le cas, hélas, de toutes les sous-espèces de tigres, hormis les tigres du Bengale.

Un programme international pour protéger les derniers tigres

■ Au début de notre siècle, chasse sportive, collection de trophées et commerce de peaux portent les massacres à leur apogée. Seuls quelques naturalistes se préoccupent de mieux connaître le tigre. Grâce à ces pionniers de la protection que sont F. W. Champion, J. Corbett et E.P. Gee, les premières observations de l'animal en nature sont publiées en 1910, suivies en 1917 et 1933 des premières photographies. Dans son livre sur la faune indienne, E.P. Gee, en 1964, annonçait la disparition de l'espèce pour la fin du siècle, si aucun changement n'intervenait pour modifier la situation.

En 1969, Guy Mountfort, membre du conseil du WWF (Fonds mondial pour la nature), et Kailash Sankhala, directeur du zoo de Dehli, demandent au cours de l'assemblée de l'U.I.C.N. (Union internationale pour la conservation de la nature) que le tigre du Bengale soit inscrit sur la liste des espèces menacées. Ils s'appuient sur des chiffres catastrophiques :

La beauté des tigres blancs fascina tant le maharadjah de Rewa qu'il décida en 1951 de créer un élevage de ces animaux, assez rares dans la nature.

des 100 000 tigres présents dans le monde en 1920, il n'en reste plus que 2 500 à la fin des années 60.

Plusieurs causes sont à l'origine de cette chute brutale des effectifs : la destruction massive des forêts pour la mise en culture des terres, la chasse effrénée et le piégeage intense notamment des villageois indiens, mais surtout les chasses des notables anglais et des maharadjahs.

La diffusion des armes à feu sonne le glas de l'espèce ; en effet, chaque village acquiert son fusil pour lutter contre les cerfs et les sangliers qui détériorent les cultures. Les paysans, tireurs inexpérimentés, s'en servent également contre les tigres, les blessant plus qu'ils ne les tuent. Ces animaux, affaiblis, s'attaquent alors aux proies faciles que sont l'homme ou ses troupeaux. Et, pour se protéger des félins rendus dangereux par leur propre maladresse, les villageois ont recours aux poisons.

Par la suite, les combats pour l'indépendance de l'Inde et de nombreuses guerres menées dans le Sud-Est asiatique font circuler des milliers d'armes à feu parmi les paysans ou les nomades.

Alertée par l'U.I.C.N., la communauté internationale s'émeut. En 1970, le gouvernement indien d'Indira Gandhi interdit la chasse au tigre et l'exportation des peaux. Un recensement officiel est effectué en 1972 : cinq mille hommes parcourent durant une semaine toutes les forêts du pays et relèvent chaque indice de la présence des félins, dénombrant 1 827 tigres. La même année est lancé un vaste programme de protection portant sur six ans et nécessitant six millions de dollars, avec engagement du WWF qui en fournira un million. Ce programme prévoit la création de nombreux parcs nationaux en Asie, une campagne de sensibilisation du public, une protection juridique accrue et une récolte de fonds. Le succès de cette campagne permet de recueillir deux millions de dollars en dix-huit mois, la Suisse, les États-Unis, les Pays-Bas et la Grande-Bretagne venant en tête du financement.

Dès 1974, on assiste à une généralisation de l'« Opération tigre » : le Népal, le Bangladesh, le Bhoutan, la Sibérie et la Chine intensifient la protection de l'espèce. La majorité des populations de tigres figurent en annexe I (chasse, commerce et circulation de spécimens sont interdits) de la convention de Washington. Grâce à ces mesures, les effectifs se reconstituent ; il ne restait que 2 500 tigres du Bengale en 1979, on en compta 4 000 en 1984. □

TIGRES BLANCS

Les tigres blancs sont une simple variété du tigre du Bengale. Leur couleur blanche est due à une mutation récessive, c'est-à-dire à une mauvaise transcription du code génétique sur le gène responsable de la couleur lorsque les deux parents sont porteurs de ce gène. Ils vivent à l'état sauvage dans de nombreuses parties de l'Inde, notamment dans la région de Rewa. Ils ont en général des pupilles roses, un regard bleu acier, et leur robe, coquille d'œuf ou crème, est rayée de gris-brun ou de noir.

Grâce au maharadjah de Rewa, ils sont mondialement connus.

Tigre mangeur d'hommes

■ Le tigre fait partie sans conteste des animaux responsables du plus grand nombre de morts d'hommes par attaque directe. Il aurait tué près de 1 000 Indiens par an au cours du XIXᵉ siècle. En Inde, on parle d'un animal connu pour avoir tué 430 personnes. Les statistiques publiées au siècle dernier sont impressionnantes : 919 hommes égorgés en 1877, 816 en 1878, etc. Il est sûr que certains tigres se sont nourris, sinon exclusivement, du moins principalement de chair humaine. Bien que le nombre des « mangeurs d'hommes » diminue en raison de la régression générale des effectifs, 1 % de ces félins n'en restent pas moins friands de chair humaine.

La détérioration de son habitat, constamment violé par le passage des hommes, force le tigre à des confrontations plus fréquentes avec les humains et provoque chez lui des comportements anormaux. Dans l'Inde surpeuplée, le tigre dispose d'un territoire de six à vingt fois inférieur à son espace vital optimal.

Les « mangeurs d'hommes » sévissent souvent aux bordures dégradées des forêts, comme dans les environs du parc national Dudhwa, ou à l'embouchure du Gange, dans la mangrove de Sunderbans. À Sunderbans, on a placé depuis 1983 vingt mannequins électrifiés, habillés en villageois. Neuf de ces simulacres ont été attaqués, et on espère que l'expérience désagréable qu'ils sup-posent pour le tigre permettra de réduire à la longue la menace. Le port de masque à l'arrière de la tête semble avoir également un effet dissuasif.

Près de Dudhwa, l'habitat du tigre est fragmenté par l'expansion de l'agriculture, et les paysans tirent au fusil les herbivores qui saccagent les cultures, réduisant ainsi le nombre des proies potentielles du félin.

D'autres méfaits des « mangeurs d'hommes » sont dus à d'inqualifiables imprudences. Ainsi, par exemple, Shing, un fonctionnaire du parc de Dudhwa, lâcha progressivement dans le parc des jeunes tigres nés en captivité et nourris de viande jusqu'à l'âge de trois ans. Il réduisit petit à petit l'apport d'aliments pour les inciter à chasser et à se réadapter à la vie sauvage. L'expérience s'avéra inutile et meurtrière : Tara, l'un des jeunes tigres, apprit à chasser surtout les hommes, dont il n'avait aucune peur. Il fut abattu après avoir tué vingt personnes.

Un dernier facteur, et non le moindre, pousse le tigre à tuer l'homme : ce sont les blessures, qui le rendent incapable de chasser de façon normale. □

La création de réserves en Inde a nécessité la volonté farouche du gouvernement pour imposer une politique de sauvegarde des ressources naturelles du pays. Quelque 6 000 villages ont été déplacés hors des réserves vers des zones tampons. Des aides au développement local ont accompagné ces mesures.

Le tigre royal du Bengale en Inde aujourd'hui

■ La sous-espèce *Panthera tigris tigris* se rencontre au Népal, au Bhoutan et au Burma, ainsi qu'en Inde et au Bangladesh, où elle est connue sous le nom de tigre royal du Bengale. Le gouvernement indien fut l'un des premiers à prendre conscience du déclin de l'espèce. Après le lancement de l'« Opération tigre » au parc national Corbett, neuf réserves sont créées entre 1973 et 1974, au sein d'habitats divers :
- Bandipur (Karnataka), 690 km²,
- Corbett (Uttar Pradesh), 520 km²,
- Kanha (Madhya Pradesh), 1 945 km²,
- Manas (Assam), 2 840 km²,
- Melghat (Maharashtra), 1 571 km²,
- Palamau (Bihar), 930 km²,
- Ranthambhor (Rajasthan), 392 km²,
- Simlipal (Orissa), 2 750 km²,
- Sunderbans (Bengale), 2 585 km².
- En 1979, s'ajoutèrent les deux réserves indiennes de :
- Periyar (Kerala), 777 km²,
- Sariska (Rajasthan), 800 km².

- En 1983, quatre nouvelles réserves furent créées :
- Buxa (Bengale), 745 km²,
- Indravati (Madhya Pradesh), 2 799 km²,
- Nagarjunasagar (Andhra Pradesh), la plus étendue de toutes, 3 560 km²,
- Namdapha (Arunachal Pradesh), 1 808 km².

L'ensemble des réserves couvre aujourd'hui une surface de 24 700 km², dont 8 600 sont des « zones de protection totale », c'est-à-dire libres de toute activité humaine. Les quelque 16 000 km² restants sont dits « zones tampons ». Les activités humaines y sont limitées. Elles doivent respecter les besoins écologiques des espèces animales. Ainsi, les effectifs de populations de tigres sont passés de 262 en 1972 à 1 121 en 1984, dont 264 tigres pour la seule réserve de Sunderbans. A la même date, les réserves de Kanha et de Manas abritaient une centaine d'individus chacune. L'amélioration des conditions d'habitat a bénéficié à d'autres espèces en danger. □

Dieu ou démon

■ Les populations semi-nomades d'Asie centrale vénéraient le tigre pour sa puissance et son habileté.

Le tigre est présent dans toutes les civilisations asiatiques, de la vallée de l'Indus (vieille de 4 500 ans) à la Chine, dont les chambres funéraires royales étaient ornées de nombreux objets à l'effigie du tigre. De nos jours encore, la déesse hindoue Durga est représentée à califourchon sur un tigre.

Une valeur magique était conférée à certains des organes du tigre ; manger son foie était censé transmettre courage et ténacité ; sa graisse, réputée aphrodisiaque, était aussi employée contre les rhumatismes ; ses clavicules étaient recherchées en tant que porte-bonheur et ses griffes étaient montées en fétiches ; enfin, ses moustaches, réduites en poudre, étaient utilisées comme poison. Des Européens n'ont-ils pas prétendu qu'une vibrisse de tigre est si dure que, découpée en petites sections et mêlée aux aliments, elle provoquerait de nombreuses perforations d'estomac, indécelables à l'autopsie, constituant l'arme du crime parfait ?

Autre type d'excès : un sultan de Misore vénérait le tigre qui figurait sur tous les fanions, les armes et les cachets princiers. Il avait pour devise : « Mieux vaut vivre deux ans comme un tigre que deux cents ans comme un mouton. » Son adoration était telle qu'il offrait à son animal favori des condamnés vivants, jetés du haut du « rocher du tigre ».

Ces comportements extrêmes ne sont pas représentatifs de la civilisation indienne, dominée par le respect de la vie, et ce n'est pas un hasard si le tigre a pu subsister sur ce sous-continent, malgré les contraintes économiques et sociales.　□

Le tigre et les Anciens

■ Les Grecs et les Romains connaissaient le tigre ; ils lui attribuèrent le même nom de « tigris » qui dérive de « tighri », c'est-à-dire « flèche » en persan, et désigne à la fois le tigre prompt à bondir et le fleuve de Mésopotamie au cours impétueux. Aristote, sans avoir jamais vu l'animal, le mentionne dans ses écrits. Au IIIᵉ siècle avant J.-C., un général d'Alexandre présenta aux Athéniens le premier tigre vu en Europe. En l'an 19 avant J.-C., l'ambassadeur d'Inde en offrit un splendide spécimen à l'empereur romain Auguste. C'est vers cette époque que les tigres apparaissent dans les arènes romaines. Après la chute de l'Empire romain, la mémoire de l'espèce s'effaça si bien qu'au XIIIᵉ siècle Marco Polo se montra très surpris par ce « gros lion » au superbe pelage rayé de noir, qu'il découvrit à la cour de l'empereur mongol Kubilay Khan.　□

Les chasses au tigre

■ Jadis eurent lieu dans toute l'Asie de grandioses chasses au tigre. On raconte qu'un empereur chinois du XVIIIᵉ siècle leva toute une armée pour cerner une vaste surface de la province de Leao Tong ; cette colossale battue se solda par la mort de plus de mille animaux sauvages et de soixante tigres. Un autre récit décrit la chasse d'un nabab indien qui mobilisa mille éléphants, et autant de fantassins et de cavaliers. Des chameaux et des bœufs de trait suivaient l'expédition.

Les épouses du nabab prenaient part elles aussi à la chasse, accompagnées de leur cour au grand complet, chanteurs, bouffons, serviteurs et fauconniers. Même si la transmission orale de ces récits est source d'exagérations, il n'en reste pas moins que ces chasses nécessitaient le déploiement d'un énorme appareil et d'une nombreuse escorte.

Au siècle dernier encore, les maharadjahs indiens chassaient le tigre avec un important cortège d'éléphants. Un très grand nombre de rabatteurs faisaient résonner leurs tambours, criaient et tiraient des coups de feu en l'air pour faire sortir les fauves et les rabattre à portée de fusil du prince. Pour que l'animal ne puisse pas leur échapper, ils utilisaient parfois de grands filets de 4 m de haut, tendus sur des cannes de bambou et disposés en forme d'entonnoir. Le tigre qui s'y engouffrait courait à sa perte.

Les hauts fonctionnaires européens résidant en Asie organisaient eux aussi de vastes carnages. Perchés bien à l'abri au sommet de tourelles, ils suivaient des yeux la chasse à l'affût des indigènes armés seulement de sabres et de poignards, et rachetaient ensuite les peaux et les trophées des animaux tués.　□

La chasse au tigre prit entre les deux guerres l'ampleur d'un carnage réduisant le nombre des tigres de moitié. Notables britanniques et princes indiens en furent les principaux acteurs. Ces parties de chasse étaient considérées comme des divertissements. Aujourd'hui, les tigres sont protégés, et les animaux chassés et tués sont surtout des tigres mangeurs d'hommes.

LE JAGUAR

Le jaguar est l'équivalent américain de la panthère de l'Ancien Monde, à laquelle il ressemble d'ailleurs beaucoup. Son territoire s'étendait des États-Unis au nord de l'Argentine. Voilà qui témoigne de ses capacités d'adaptation. Dans le Nouveau Monde, seul le puma occupe une zone de répartition plus vaste en latitude.

Entre 1,6 million d'années et 100 000 ans avant notre ère, vivait *Panthera augusta,* sur l'actuel territoire des États-Unis. Cette espèce géante serait, pour certains scientifiques, l'ancêtre direct de *Panthera onca,* notre jaguar. Peu à peu, sa taille se serait réduite, ses pattes se seraient proportionnellement raccourcies. D'autres chercheurs doutent de cette interprétation. Ils avancent, en s'appuyant sur les découvertes faites dans plusieurs sites fossiles, que les deux formes ont pu cohabiter jusqu'à la disparition du jaguar géant qui s'éteint au début de l'époque moderne, en même temps que l'homme arrive.

L'histoire du jaguar n'est pas pour autant limitée au Nouveau Monde. Comme beaucoup de mammifères, il est arrivé sur ce continent par le détroit de Béring, au nord, à la fin de l'ère tertiaire ou au début du quaternaire, puis il a pu envahir le Sud lors de l'émergence de l'isthme de Panamá. Aujourd'hui, c'est d'ailleurs principalement dans les pays d'Amérique latine que vit le jaguar.

Mais on trouve la trace d'espèces qui s'en rapprochent dans certains sites d'Asie et d'Europe. *Panthera gombaszoegensis* ressemble beaucoup au jaguar géant et date du pléistocène européen. D'aucuns y voient un ancêtre du lion ou du jaguar, voire des deux. L'espèce devait habiter les forêts caducifoliées tempérées, ou semitropicales.

Quelle que soit son origine, eurasiatique ou plus typiquement américaine, le jaguar est aujourd'hui le seul représentant du genre *Panthera* dans le Nouveau Monde et le plus grand mammifère prédateur en zone intertropicale américaine. S'il a pu, faute de concurrents, élargir sa niche écologique, en revanche la faible densité de ses proies a dû considérablement limiter son développement. Il est également possible que sa présence ait modifié l'équilibre faunistique qui régnait auparavant. Par la suite, l'arrivée de l'homme, accompagné de ses animaux domestiques, a encore transformé ces données. Rien n'est pour autant définitivement réglé : par endroits, le bétail semble favoriser l'expansion du jaguar, mais il n'est pas certain que ce félin soit, à plus long terme, toléré lorsqu'il contrarie les intérêts économiques immédiats.

Le jaguar continue à passionner les scientifiques, car il reste l'un des grands prédateurs les moins bien connus.   □

La fourrure du jaguar se caractérise par de larges rosettes noires encerclant des points sombres. C'est ce qui le distingue des autres grands chats tachetés. Même sur les jaguars au pelage noir, ce dessin reste visible à jour frisant. Dans la pénombre du sous-bois, les taches d'ombre et de lumière contribuent encore plus à camoufler le chasseur à l'affût. Mais cette fourrure l'expose aussi à des périls sans nombre, car elle est très prisée. C'est le trophée le plus recherché sur l'ensemble du continent sud-américain. Et elle constitue une source de revenus appréciables pour des populations au bas niveau de vie. Sa valeur marchande explique bien des destructions.

LES TORTUES : UN METS RECHERCHÉ

Le jaguar est assez habile pour consommer les tortues terrestres et les tortues d'eau douce sans casser leur carapace, quand elles mesurent au moins une trentaine de centimètres. Le félin peut alors extraire toutes les parties molles du reptile en glissant une patte par le grand orifice antérieur de la carapace et nettoyer proprement l'intérieur. Si la tortue est trop petite, il casse la caparace avec ses dents.

Le jaguar sait surprendre les tortues d'eau douce lorsqu'elles sortent des rivières et des lacs pour pondre sur les bancs de sable ou les berges. Il les ramasse et va les manger à l'abri de la végétation de la rive. La présence de carapaces de tortues vides peut être le signe qu'un jaguar se trouve dans les parages. Il semble en effet être le seul grand félin à agir de la sorte. La rareté relative des proies qui lui sont offertes expliquerait, en partie, ce comportement : ainsi, il serait forcé de ne négliger aucune source d'alimentation possible.

À la faveur de la nuit, le jaguar capture ses proies, bondissant sur elles de tout son poids, les lacérant de ses griffes acérées et leur brisant la nuque. Qu'il s'agisse de pécaris, de tapirs, de capybaras ou de caïmans, le félin ne consomme généralement pas sa victime tout de suite. Il préfère l'emporter dans un endroit calme où il pourra la dévorer tranquillement et dissimuler les restes sous des branches, jusqu'au lendemain.

Chasseur ou pêcheur, mais toujours à l'affût

■ Bien qu'il vive volontiers dans les arbres, le jaguar chasse surtout à terre. Dans le milieu fermé qu'il habite, il pratique l'affût. Parfois, le hasard lui permet de surprendre un animal, de l'approcher sans être repéré et de fondre sur lui. Ou alors, connaissant les habitudes des espèces dont il se nourrit, il s'embusque et guette leur passage. Puis il se retire dans un endroit tranquille pour dévorer sa proie. S'il ne la consomme pas entièrement, il lui arrive de la recouvrir de terre pour revenir la terminer le lendemain. Il ne dédaigne pas non plus les animaux déjà morts.

Il est difficile d'observer directement les faits et gestes de cet animal sauvage. Ce que l'on sait de ses pratiques alimentaires provient essentiellement de l'analyse des restes de ses repas ainsi que de ses fèces (on y retrouve les poils des animaux qu'il a ingurgités).

Des proies variées mais souvent importantes

Le régime alimentaire du jaguar est très varié. Il chasse et pêche, capturant des ongulés comme les tapirs, les pécaris, les petits cerfs sud-américains (les mazamas), attrapant de gros rongeurs (capybara, paca, agouti), sans négliger les tatous, les caïmans, les tortues, les poissons. À l'occasion, il attaque le bétail. Il n'est d'ailleurs pas impossible que les effectifs des jaguars aient crû au début de la colonisation de l'Amérique par les Européens : l'arrivée de troupeaux domestiques a rapidement diversifié les habitudes alimentaires de l'espèce.

Le tapir représente la proie la plus grosse que le jaguar puisse rencontrer. Pourtant, il ne serait pas dévoré systématiquement. Ainsi, au Belize, le chercheur Alan Rabinowitz n'a jamais trouvé de poils de tapir dans les fèces de jaguar qu'il a analysées. À l'inverse, les tapirs sont fréquemment couverts de cicatrices correspondant à des attaques manquées. Leur peau épaisse les protège des coups de griffes. Quand un jaguar bondit sur eux, ils savent se jeter dans des fourrés très denses. Du reste, les tapirs sont eux-mêmes en diminution importante partout où ils vivent, en Amérique centrale, en Amérique du Sud et surtout en montagne.

La chair du capybara, ou cabiai, est également très prisée par le jaguar. Cet animal, le plus gros rongeur que l'on connaisse, pèse quelque 50 kg à l'âge adulte. Semi-aquatique, il vit en petits groupes au bord des fleuves et des lacs. Le jaguar semble avoir une méthode spéciale pour le capturer : il mord le capybara à la base du crâne, cherchant à toucher le cerveau. À cet endroit, l'épaisseur de l'os crânien peut aller jusqu'à 2 cm. Mais les crocs puissants du jaguar sont capables de le traverser. On a même observé un crâne qui avait dû être saisi par les oreilles : les canines du jaguar avaient atteint les centres vitaux de sa proie sans presque laisser de traces sur la boîte crânienne.

Lorsqu'il pêche au bord de l'eau, le jaguar attend patiemment qu'un poisson passe à sa portée. Comme tous les chats, il ne contrôle pas complètement le bout de sa queue, si bien qu'elle martèle parfois la surface de l'eau. C'est peut-être la raison pour laquelle les Indiens d'Amérique du Sud croient que le jaguar pêche véritablement avec sa queue. Il n'en reste pas moins vrai que le jaguar est un pêcheur adroit et qu'il met à son menu des poissons de toutes tailles, et même des caïmans. □

Le jaguar chasse à l'affût. Il est capable de terrasser des animaux deux ou trois fois plus lourds que lui, même si ses proies habituelles sont plus légères. En fait, il adapte son régime aux disponibilités locales. Il change de secteur au bout de quelques jours, dès que les espèces chassées, devenues prudentes, se tiennent sur leurs gardes. Il peut ainsi espérer surprendre plus facilement ailleurs des animaux moins méfiants.

Un ermite errant

■ Comme beaucoup de grands prédateurs, le jaguar mène une existence essentiellement solitaire. La densité des proies disponibles y est probablement pour quelque chose. Cette quantité de nourriture conditionne, en fait, la surface des territoires — ou plutôt des domaines vitaux — parcourus par chaque animal. Ces superficies peuvent varier de 5 à 500 km².

George Schaller, qui a étudié les populations de jaguars au Brésil, évalue la densité moyenne à 1 jaguar pour 25 km². Ce calcul est plus complexe dans le détail. En effet, selon ses observations, les domaines vitaux individuels des femelles varient de 25 à 38 km² et comportent de larges zones de recouvrement. En revanche, les mâles, qui dépasseraient de 20 % en taille et en poids les femelles, se réservent des territoires presque deux fois plus étendus, exclusifs d'un mâle à l'autre, mais recouvrant ceux de plusieurs femelles.

A. Rabinowitz a, pour sa part, mené ses travaux au Belize, dans les Cockscomb Mountains. Il estime à 25 ou 30 le nombre de jaguars habitant les 370 km² de la zone qu'il a examinée. Il fait état de contacts possibles entre tous les mâles et femelles. Les jaguars n'utilisent pas en permanence l'ensemble de leur domaine. Selon la densité de leurs proies, ils peuvent rester cantonnés durant plusieurs jours dans un petit secteur, jusqu'à ce que leurs sources alimentaires s'épuisent ou se dispersent. Ils se déplacent alors et s'installent ailleurs.

Un système de communication très efficace

Pour signaler sa présence, le jaguar a plusieurs types de signaux à sa disposition. Il se sert souvent de son urine. Comme tous les chats mâles, il peut arroser assez haut au-dessus du sol, en tournant le dos au support choisi. De la sorte, la marque qu'il laisse est au niveau du nez, ce qui simplifie son repérage. Les griffures sur les arbres sont des signaux visuels. Il semble que, sur son domaine, chaque animal sélectionne des arbres particuliers pour y laisser la trace de ses griffes, si bien qu'on peut parler réellement d'un marquage et non d'une simple envie de faire ses griffes. Enfin, les signaux auditifs, rugissements, grognements et autres feulements, permettent aux jaguars de se communiquer leur position respective.

Il arrive également que des individus, des mâles en général, parcourent de grandes distances sans que l'on sache pourquoi. Le record enregistré par les observateurs est détenu par un animal qui a été retrouvé à 800 km de son domaine initial.

Si le jaguar se déplace et chasse au sol, il exploite aussi toutes les ressources de la forêt tropicale. C'est ainsi qu'il grimpe fréquemment sur les arbres, que ce soit pour faire la sieste sur une grosse branche ou traverser une zone inondée sans trop se mouiller. Pourtant, l'eau ne l'effraie pas. Elle ne manque pas dans son environnement naturel et, d'ailleurs, il nage volontiers : s'il n'utilise pas habituellement les cours d'eau comme voies de communication, il ne répugne pas à traverser des fleuves relativement larges. □

L'APPEL DU JAGUAR

Le jaguar est difficile à voir, mais il est plus facile à entendre. Nombreuses sont les expressions utilisées pour décrire son appel et ses vocalisations. D'aucuns contestent qu'il rugisse comme le lion. Mais il peut grogner, miauler, feuler, gronder... Il paraît que sa voix rappelle une toux rauque et aboyée, ou le bruit que l'on fait en sciant du bois. On sait encore mal ce que signifie chaque type d'appel. Le cri saccadé et accordé au rythme de la respiration est peut-être territorial. Le miaulement semble lié à la reproduction.

Le jaguar apprécie beaucoup l'eau. Elle lui est vraiment indispensable et conditionne la répartition géographique de l'espèce, qui ne peut habiter des pays trop secs. Les fleuves ne sont pas des barrières pour lui, puisqu'il lui arrive de traverser à la nage des rivières de plusieurs kilomètres de large, à l'époque des crues. Il tire de l'eau une partie de son alimentation et prend un plaisir évident à s'y plonger afin de se baigner et de se rafraîchir.

Le jaguar semble choisir certains arbres *pour y laisser la trace de ses griffes. Il marque ainsi son territoire face à d'autres mâles entreprenants. Le domaine vital des jaguars dépend essentiellement des proies disponibles. Plus elles sont nombreuses, plus le territoire est petit. Le jaguar passe l'essentiel de son temps seul dans la forêt : il se met à l'affût sur une branche pour guetter ses proies, ou patrouille sur son territoire, en quête de nourriture.*

Mâles et femelles se rencontrent plusieurs fois par an : en effet, les cycles de la femelle se succèdent tous les 6 à 17 jours. Dans les zones tropicales, les naissances peuvent être observées à n'importe quelle époque de l'année. L'accouplement paraît parfois un peu brutal, le mâle mordillant violemment la nuque de la femelle. Mais ces stimulations tactiles doivent contribuer au succès de ces rencontres et à la fécondation des femelles.

Des familles peu nombreuses

■ L'époque des chaleurs de la femelle est le seul moment où l'on puisse rencontrer un couple d'adultes. Les mâles repèrent l'état de la femelle aux odeurs qu'elle laisse dans son urine. Puis ils entreprennent activement de la rechercher. Il arrive que plusieurs mâles soient attirés par la même femelle. La situation va alors dépendre de leur taille respective. Habituellement, le mâle le plus puissant domine les autres, qui restent à distance, mais suivent malgré tout le couple. Les spécialistes n'ont jamais assisté à des combats entre mâles. Néanmoins, ils repèrent de temps en temps des animaux qui portent des plaies ou des cicatrices à la tête et au cou. Peut-être ont-ils lutté autour d'une femelle en chaleur.

L'accouplement des grands chats semble toujours un peu violent en apparence. Chez les félidés, l'ovulation est provoquée par l'accouplement : on pense donc que ce comportement doit favoriser les chances de fécondation. Cette union est souvent ponctuée de miaulements assez typiques.

Il n'y a pas de saison très marquée pour la reproduction de l'espèce en zone tropicale. Toutefois, dans les régions où il existe une vraie saison des pluies, les naissances ont lieu plutôt à cette époque, lorsque la nourriture est la plus abondante. Dans le Nord (au Mexique) et le Sud (en Argentine), la reproduction des jaguars est nettement saisonnière.

La gestation dure environ 3 mois (soit de 93 à 105 jours), et il naît entre un et quatre jeunes par portée. Au Belize, où les naissances sont concentrées entre mai et janvier (elles surviennent à 85 % pendant la saison des pluies, de mai à septembre), les portées comptent en moyenne deux petits. Vingt-trois femelles suitées ont été observées : 52 % d'entre elles étaient accompagnées de deux jeunes, 35 % d'un seul et 13 % de trois.

Aveugles jusqu'à l'âge de 13 jours

À la naissance, les nouveau-nés pèsent de 700 à 900 grammes. La femelle les met au monde dans un endroit bien abrité qu'elle ne quitte, tout d'abord, que pour aller se nourrir. Durant les premières semaines de leur existence, ils sont sourds et aveugles et dépendent complètement de leur mère. Leurs yeux s'ouvrent au bout de 13 jours.

Ils restent environ 6 mois dans la tanière où la femelle les a mis au monde, ou aux alentours. Ensuite, ils l'accompagnent dans sa vie nomade, sur son domaine, pendant dix-huit mois à deux ans. Leur mère continue alors de veiller sur eux. Dans la forêt, les dangers sont multiples. La menace ne vient pas seulement des autres animaux ; les mâles adultes s'attaquent parfois aux jeunes, surtout dans les régions où il existe une forte densité de jaguars.

Le devenir de la portée dépend aussi de cette densité. Si elle est faible, les jeunes n'auront pas de mal à trouver un territoire où se fixer. Si elle est plus élevée, il leur sera peut-être plus difficile de s'établir. Il leur arrive de rester groupés au début de leur vie adulte, pendant quelques mois, avant de s'installer chacun chez soi. Les mâles bougent plus que les femelles, leurs déplacements peuvent atteindre quelques dizaines de kilomètres. Inversement, les jeunes femelles restent un certain temps, semble-t-il, sur le territoire de leur mère. □

Le petit jaguar ressemble à un gros chaton tacheté. Le plus souvent, la portée comprend deux jeunes. La femelle les garde près d'elle, à l'abri, pendant les six premiers mois de leur vie. Elle installe sa tanière là où la faune est abondante, car elle ne s'éloigne guère de sa progéniture.

À l'âge de un ou deux ans, le jeune jaguar commence à explorer en solitaire le domaine de sa mère. Mais celle-ci veille sur lui.

Double page suivante : La large tête du jaguar le distingue de la panthère. Les taches et les marques noires qu'il porte sur la face et sur les joues sont propres à chaque animal.

Jaguar
Panthera onca

■ L'appartenance du jaguar à la famille des félidés ne fait aucun doute. Sa silhouette générale l'atteste sans ambiguïté. Son pelage permet de le distinguer des autres représentants du genre *Panthera* et, en particulier, de la panthère (*P. pardus*). Si la tête, le ventre et les pattes sont marqués de taches noires pleines, dos et flancs portent des rosettes noires qui encerclent des points foncés, sur un fond variant du jaune au roux. Le fond du ventre est blanc. Le dos de l'oreille est noir, avec une tache blanche. La commissure des lèvres se prolonge également par une marque noire.

L'existence de jaguars noirs est connue depuis longtemps. Il s'agit d'une mutation mélanique. Mais cette caractéristique ne semble pas dépendre de critères écologiques ou géographiques particuliers. Les deux couleurs peuvent d'ailleurs se retrouver dans une même portée. Lorsque la fourrure est noire, le dessin des taches et des rosettes reste visible, si on observe l'animal sous un bon éclairage.

Les pattes courtes et puissantes du jaguar sont adaptées à sa vie arboricole. La musculature de son corps lui permet, à l'issue de l'affût, de bondir sur ses proies avant qu'elles n'aient le temps de réagir. Il doit cependant s'avancer plus près d'elles que la panthère, car sa masse ne lui permet pas des sauts d'une amplitude comparable à ceux de celle-ci. Inversement, il est capable de terrasser des animaux de 200 à 300 kg et la puissance de ses mâchoires est vraiment impressionnante.

L'ouïe et l'odorat lui sont plus utiles que la vue, puisqu'il habite la forêt. Mais ses sens semblent tous bien développés. Les vibrisses situées sur sa tête et son museau doivent l'aider à s'orienter à courte distance.

Ses pattes et surtout ses cinq doigts aux griffes rétractiles sont fort habiles, en particulier lorsqu'il extrait les tortues de leur carapace pour les consommer. Comme les primates, il est doté d'une clavicule, ce qui donne à ses membres antérieurs une souplesse parfaite. Cet atout est parfois d'un grand secours lors de la capture d'une proie : le félidé arrive de côté, se jette sur elle en enlaçant son avant-train et la fait basculer à terre. Le jaguar emploie cette méthode commune aux représentants du genre *Panthera* pour capturer des bovins. La vache ou le veau meurt dans sa chute, les vertèbres cervicales brisées. Le jaguar accompagne son mouvement d'une morsure à la nuque, à la base des oreilles. Certains ranches sud-américains ont été le théâtre de combats extraordinaires entre des taureaux et des jaguars. Face à des proies plus petites, le félidé se sert de sa patte comme d'un assommoir, fracassant le crâne de sa victime d'un seul coup. □

JAGUAR	
Nom *(genre, espèce)* :	*Panthera onca*
Famille :	Félidés
Ordre :	Carnivores
Classe :	Mammifères
Identification :	Silhouette plus lourde, queue moins longue et tête plus massive que la panthère. Robe claire, parfois noire, avec des rosettes noires entourant des points sombres.
Taille :	De 1,12 à 1,85 m ; queue : de 0,45 à 0,75 m. Garrot : de 0,68 à 0,76 m
Poids :	De 36 à 158 kg (de 57 à 113 kg en moyenne). Les femelles sont plus petites (20 % en moins)
Répartition :	Depuis le Mexique jusqu'au nord de l'Argentine
Habitat :	Forêts tropicales, forêts sèches, buissons prédésertiques ; au-dessous de 1 000 m d'altitude
Régime alimentaire :	Carnivore
Structure sociale :	Solitaire et territorial
Maturité sexuelle :	Entre 3 et 4 ans
Saison de reproduction :	Plutôt la saison des pluies
Durée de gestation :	100 jours en moyenne
Nombre de jeunes par portée :	De 1 à 4
Poids à la naissance :	De 700 à 900 g
Longévité :	22 ans en captivité ; 10 ans environ en nature ; 50 % de mortalité avant l'âge de 2 ans
Effectif, tendances :	Quelques dizaines de milliers (estimation) ; en régression
Statut, protection :	Annexe I de la Convention de Washington (chasse et commerce interdits)
Remarque :	En Guyane française, la chasse n'est pas réglementée et le jaguar est continuellement pourchassé

Oreilles.
Elles sont noires et ornées d'une tache blanche. L'ouïe est assez développée.

Rosettes centrées.
C'est le modèle le plus complexe de taches chez les félidés.

Queue.
Elle est peu développée par rapport à celle des espèces à tendance arboricole. Les Indiens pensent que le jaguar s'en sert pour pêcher.

LES SOUS-ESPÈCES

Les spécialistes ont décrit 8 sous-espèces de jaguars dont certaines ont virtuellement disparu aujourd'hui. Ce sont :

Panthera onca arizonensis, disparu aux États-Unis (Arizona et Nouveau-Mexique), présent au Mexique (côte pacifique) ;

Panthera o. veraecrucis, Texas et Mexique (côte atlantique) ;

Panthera o. hernandesii, sud du Mexique ;

Panthera o. goldmani, Mexique ;

Panthera o. centralis, de l'Amérique centrale à l'Équateur, à l'ouest des Andes ;

Panthera o. peruvianus, de l'Équateur au Pérou, à l'ouest des Andes ;

Panthera o. onca, autrefois du Venezuela au sud du Brésil, et dans les Guyanes.

Panthera o. palustris, autrefois du sud du Brésil à l'Argentine, en Uruguay, au Paraguay et en Bolivie.

Yeux.
La vue est bien adaptée à la demi-obscurité des sous-bois et à la faible luminosité de l'aube et du crépuscule.

Vibrisses.
Leur importance témoigne d'activités régulières dans un milieu dense et sombre.

Taches

Le jaguar se reconnaît aux rosettes bien particulières présentes sur ses flancs. Elles sont constituées de taches noires, dessinant des polygones où sont inclus des points noirs en nombre variable. En revanche, sur la tête, le ventre et les pattes, les taches noires sont pleines. Le fond de la fourrure varie du jaune au roux. Chez les jaguars mélaniques, ce fond est foncé, presque noir ; cependant, il est toujours possible de distinguer les taches et les rosettes. On ignore les raisons de cette mutation.

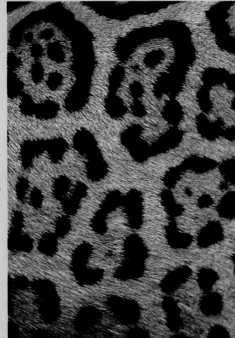

Clavicule

C'est l'os de l'articulation du bras sur l'épaule qui permet les mouvements d'embrassement chez les félidés. Le cheval, qui en est dépourvu, ne peut faire que des mouvements de jambe parallèles à la longueur de son corps.

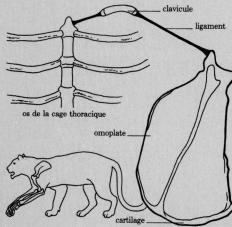

clavicule
ligament
os de la cage thoracique
omoplate
cartilage

Empreinte

Elle montre une grande pelote plantaire et quatre petites marques correspondant aux pelotes digitales. Le pouce ne laisse pas d'empreinte sur le sol. La largeur d'une patte avant peut atteindre 12 cm, celle d'une patte arrière de 7 à 8 cm.

Les autres félins d'Amérique du Sud

■ La famille des félidés ne compte pas moins de 37 représentants répartis sur les divers continents. Le genre *Felis* regroupe la presque totalité d'entre eux, à l'exception des « grands félins » que sont les 5 espèces du genre *Panthera,* le guépard et la panthère nébuleuse.

En plus du puma, qui est le plus grand des « petits chats », et du jaguar, les félidés sont représentés en Amérique centrale et en Amérique du Sud par 8 espèces du genre *Felis.*

Peu d'études scientifiques ont été faites sur ces espèces qui, dans l'ensemble, restent très mal connues. Certaines d'entre elles sont victimes de destructions massives à cause de la beauté de leur fourrure très recherchée.

Ces 8 espèces sont :

OCELOT
Felis pardalis

C'est un magnifique chat tacheté de taille moyenne qui pèse environ 12 kg. Certains sujets de cette espèce peuvent peser jusqu'à 15 kg.

Animal nocturne, l'ocelot est volontiers arboricole. Il se repose dans la journée. Il semble qu'un couple puisse partager un même domaine vital en s'y déplaçant indépendamment l'un de l'autre.

La reproduction est probablement liée à la saison des pluies. Il naît 2 jeunes en moyenne par portée, après 70 jours de gestation.

Habitat : l'espèce se rencontre dans de nombreux types de paysages. À l'origine, elle vivait dans une zone allant du sud des États-Unis au nord de l'Argentine. Actuellement, la population d'ocelots la plus septentrionale se trouve à la frontière du Texas et du Mexique. Cette sous-espèce, *Felis pardalis albascens,* est estimée à environ un millier d'individus, dont 100 à peine vivent au Texas.

Alimentation : l'ocelot est carnivore et chasse plutôt à terre. Ses proies sont variées : petits rongeurs, opossums, jeunes cerfs, marcassins de pécaris, oiseaux, petits reptiles et poissons.

Statut : depuis 1989, l'espèce est inscrite en Annexe I de la Convention de Washington (commerce et chasse interdits).

Avant son inscription, l'ocelot a fait l'objet d'une chasse intense pour sa fourrure. Durant la seule année 1969, 133 069 peaux ont été expédiées aux États-Unis ; et, en 1975, la Grande-Bretagne en importait près de 77 000. Encore récemment, on vendait des ocelots vivants comme animaux de compagnie.

MARGAY
Felis wiedii

Ce petit félin ne pèse que de 4 à 9 kg et ressemble un peu à un ocelot en miniature. Pourtant, sa queue est proportionnellement plus longue.

L'espèce est arboricole. Son anatomie traduit cette adaptation : les pattes, larges et souples à leurs extrémités, sont pourvues de métatarses mobiles. Le pied postérieur peut tourner de 180°, ce qui est unique chez les félidés. Ses capacités de grimpeur sont étonnantes, et il descend des arbres la tête la première comme tous les vrais mammifères arboricoles.

Habitat : on le rencontre du Mexique à l'Argentine. Il a peut-être été présent au Texas autrefois.

Alimentation : carnivore, il capture ses proies dans les branches (petits rongeurs, oiseaux, lézards...).

Statut : inscrite en Annexe I de la Convention de Washington depuis octobre 1989, l'espèce est relativement menacée de disparition, car sa fourrure est très recherchée. En 1980, le Paraguay a exporté plus de 22 000 peaux sur les 30 000 commercialisées dans le monde. Ce pays avait également, la même année, exporté 30 000 peaux d'ocelot sur un total mondial de 45 000.

PETIT CHAT-TIGRE
Felis tigrinus

Il pèse de 2 à 3 kg. Le dessin de son pelage ressemble à celui des espèces évoquées ci-dessus. Le fond est souvent d'un bel ocre chaud, marqué de taches noires.

Il s'agit d'une espèce forestière, mal connue, peut-être en partie arboricole.

Il se reproduit assez lentement : les portées ne dépassent pas 1 ou 2 jeunes, dont le développement est, semble-t-il, très lent.

Habitat : du Costa Rica au nord de l'Argentine.

Statut : le chat-tigre est chassé pour sa fourrure, malgré les protections officielles et les règlements internationaux (inscrit en Annexe I de la Convention de Washington en octobre 1989). En 1980, près de 69 000 peaux sont sorties d'Amérique du Sud, pratiquement toutes par le Paraguay.

CHAT DE GEOFFROY
Felis geoffroyi

Il pèse en moyenne de 2 à 3,5 kg. C'est un chat élégant, plus discrètement tacheté que les espèces plus tropicales. Son pelage varie de l'ocre au nord au gris vers le sud. Le chat de Geoffroy ne craint pas l'eau et semble même apprécier les bains. La reproduction (2 ou 3 petits) est sans doute liée à l'été austral.

Habitat : paysages variés, forêts, taillis et zones de montagne jusqu'à 3 300 m d'altitude ; depuis le sud du Brésil et de la Bolivie jusqu'en Patagonie.

Alimentation : plutôt terrestre, il chasse de petites proies (rongeurs, oiseaux, reptiles et même poissons), essentiellement la nuit.

Statut : depuis que l'ocelot, le margay et le petit chat-tigre sont protégés, le chat de Geoffroy et le colocolo sont davantage recherchés et chassés pour leur fourrure.

En 1980, 76 000 peaux de chat de Geoffroy ont été officiellement exportées, dont 66 000 en provenance du Para-

Jaguarondi (Felis yagouaroundi)

Colocolo (Felis colocolo)

guay. Le chiffre réel tournerait autour de 145 000 peaux. De 1986 à 1989, 60 000 peaux de ces deux espèces sont entrées en Europe.

KODKOD
Felis guigna
C'est un petit chat de 2 à 3 kg vraiment mal connu.

La robe est tachetée de ronds noirs bien contrastés sur un fond beige. Les fourrures mélaniques ne sont pas rares.

On suppose que le kodkod a des habitudes et un mode de vie plutôt nocturnes, et qu'il est, à l'occasion, arboricole.

Habitat : forêts du sud du continent sud-américain, Chili et Argentine.

Alimentation : il semble qu'il se nourrisse de petites proies (rongeurs, oiseaux).

Statut : son isolement et sa discrétion semblent le mettre à l'abri de ceux qui font commerce de fourrures.

COLOCOLO
Felis colocolo
Également appelé chat de la pampa, il pèse entre 3 et 7 kg. L'espèce est essentiellement nocturne.

Son pelage, long et soyeux, lui donne un air très élégant. Le fond de sa fourrure varie du jaune au gris, en passant par plusieurs nuances. Les taches et les rayures, de couleur brune, descendent obliquement du dos vers les flancs. La queue est touffue, la face large et les oreilles sont pointues. La silhouette du colocolo est donc nettement différente de celle des espèces précédentes.

Habitat : malgré son nom, le chat de la pampa n'habite pas que les prairies dégagées et les hautes herbes. On le rencontre aussi en forêt et en montagne. Il vit depuis l'Équateur et le Brésil (Mato Grosso) jusqu'au Chili et en Patagonie.

Alimentation : l'espèce, probablement terrestre, doit chasser les rongeurs (cobaye), les oiseaux terrestres et les gros insectes.

Statut : non protégé, il est chassé pour sa fourrure, souvent mélangée à celle du chat de Geoffroy. En 1980, 12 000 peaux de colocolo ont été exportées, dont 9 000 en provenance du Paraguay. On estime le marché mondial à 27 000 peaux/an.

CHAT DES ANDES
Felis jacobita
Il pèse entre 3 et 7 kg. Son pelage est doux et très fin. La couleur dominante est un gris argenté marqué de taches et de rayures brunes ou orange. Sa queue fournie est parfaitement cylindrique.

Habitat : il est adapté à la vie en altitude (jusqu'à 5 000 m), à l'air sec et froid de la montagne, aux paysages de rochers et de végétation clairsemée. Il occupe les Andes, au sud du Pérou, au sud-ouest de la Bolivie, au nord du Chili et au nord-ouest de l'Argentine.

Alimentation : il se nourrit de rongeurs (chinchillas, viscaches, etc.).

Statut : mal connue, l'espèce est apparemment rare et classée en Annexe I de la Convention de Washington. Elle est trop peu fréquente pour donner lieu à un quelconque commerce.

JAGUARONDI
Felis yagouaroundi
C'est un étrange chat au pelage uni, assez bas sur pattes et ressemblant plus à une mangouste qu'à un félidé. Il pèse de 4,5 à 9 kg. Certains sont gris-brun ou noirs, d'autres rougeâtres. La tête de l'animal est petite, aplatie, ses oreilles peu développées et arrondies. Sa queue est longue.

L'espèce se déplace habituellement au sol, mais elle sait cependant grimper aux arbres. Le jaguarondi semble plus diurne que de nombreuses autres espèces de félidés. La reproduction est plutôt saisonnière au nord et au sud de l'aire de répartition.

Habitat : on le rencontre du sud des États-Unis au nord de l'Argentine. Au pléistocène, il devait habiter tout le sud des États-Unis jusqu'en Floride où l'on essaie aujourd'hui de le réintroduire. L'espèce est forestière, mais s'accommode de divers types de végétation.

Alimentation : oiseaux et petits mammifères ; chasse au sol.

Statut : l'espèce n'est pas recherchée pour sa fourrure, car elle ne convient pas à la pelleterie. Cependant, les populations de jaguarondi des États-Unis et du Mexique sont menacées par la destruction de leur milieu naturel.

Ocelot (Felis pardalis)

Milieu naturel et écologie

■ De l'Arizona à l'Argentine, le jaguar occupait à l'origine des milieux très variés. Il a été peu à peu éliminé de nombreuses zones périphériques où l'homme a modifié en profondeur l'équilibre de la nature. À partir du Mexique en allant vers le nord, l'habitat du jaguar aux États-Unis suivait la côte atlantique (Texas) et la côte pacifique (Arizona, Nouveau-Mexique et autrefois Californie). L'animal évitait le Centre, trop aride pour lui. Aujourd'hui, son aire de répartition a reculé d'environ 1 000 km vers le sud, et les populations de jaguars les plus nordiques se trouvent dans le sud des provinces mexicaines de Sinaloa, sur la côte pacifique, et de Tamaulipas, sur le golfe du Mexique.

Une enquête datant de 1987 montre que, en Amérique centrale, l'espèce occupe environ 483 000 km², soit le tiers de son aire initiale. Seul le quart de la superficie actuellement occupée est correctement peuplé : c'est la zone comprise entre le nord du Guatemala, le Belize et l'extrême sud du Mexique. La densité de jaguars au km² diminue sur 47 % de la superficie et l'espèce risque de disparaître sur les 28 % restants. Elle n'a pas survécu au Salvador et demeure très menacée au Panamá.

Au sud, la population des jaguars a conservé 62 % de sa répartition originale et la densité reste stable sur plus de la moitié de la superficie occupée actuellement. L'espèce semble ne s'être jamais développée au Chili, ou seulement de façon marginale au nord-est du pays. Elle s'est éteinte récemment en Uruguay, et a presque disparu du Paraguay et de l'Argentine. Elle n'existe pratiquement plus sur la côte brésilienne, sauf en trois endroits où des populations résiduelles se maintiennent encore.

La présence du jaguar dans une région signifie que le milieu est intact et que les proies y sont encore nombreuses. *Panthera onca* n'est pas le seul prédateur. Le puma, l'ocelot, voire le margay et le jaguarondi peuvent cohabiter, à condition de respecter certaines règles.

La compétition alimentaire avec les autres félidés

Les proies du jaguar varient d'une région à l'autre. Au sud-est du Pérou, le félin se nourrit de rongeurs (capybara, agouti et paca), de pécaris et de cerfs. La proportion de ces animaux dans l'alimentation du jaguar correspond généralement à leur abondance naturelle, toutefois les pécaris sont surconsommés. Inversement, au Belize, la proie principale (54 %) est un tatou, le tatou à neuf bandes qui ne pèse pourtant que 5 à 6 kg. Les plus grandes espèces disponibles, comme le fourmilier tamandua, le cerf *Mazama americana* et le paca, sont moins souvent consommées.

En taille, le deuxième grand félidé sud-américain est le puma (*Felis concolor*). Il est difficile de déterminer avec certitude si les deux espèces sont en compétition. Le jaguar est plus puissant que le puma, mais tous deux sont capables de tuer de grosses proies. Il est possible qu'ils cherchent à s'éviter, l'un étant rare là où l'autre est fréquent. Au Pérou, le jaguar semble exploiter, plus que le puma, les forêts au bord des cours d'eau. La séparation des biotopes entraîne l'exploitation de proies différentes.

Au Belize, les deux espèces survivent parfaitement avec les petites proies localement disponibles, sans conflit apparent. Néanmoins, l'analyse des fèces du puma a montré des espèces rarement chassées par le jaguar, comme certains petits rongeurs et des opossums. Dans ces conditions, le puma peut, au contraire, entrer en compétition alimentaire avec les autres espèces de félidés. Plus au sud, au Brésil et au Paraguay, ce même puma sait parfaitement chasser des cerfs, des pécaris et même des singes. Il semble que le régime alimentaire du jaguar au Belize, spécialement orienté vers de petites proies

ÉTATS-UNIS

MEXIQUE

Tropique du Cancer

BELIZE
HONDURAS
GUATEMALA
SALVADOR
NICARAGUA
COSTA RICA
PANAMA

VENEZUELA
GUYANA
SURINAM
Guyane française

COLOMBIE

OCÉAN

OCÉAN

Équateur

ÉQUATEUR

BRÉSIL

PÉROU

PACIFIQUE

BOLIVIE

ATLANTIQUE

PARAGUAY

Tropique du Capricorne

CHILI

URUGUAY

ARGENTINE

Répartition actuelle

Répartition ancienne

0   1 000   2 000 km

La répartition du jaguar régresse en surface et en densité. En Amérique centrale, le félin a disparu des 2/3 de son aire initiale. En Amérique du Sud, il n'a perdu que 38 % de son territoire original. La présence de l'homme a beaucoup modifié l'équilibre de cet environnement.

comme le tatou, entraîne une plus grande compétition alimentaire entre les petits félidés, dont le régime potentiel se trouve, de ce fait, très réduit.

Toujours au Belize, les travaux d'Alan Rabinowitz dénombrent cinq espèces qui composent 80 % des animaux identifiés dans les fèces de jaguar : le tatou à neuf bandes, le paca, le cerf daguet (*Mazama*), le pécari et le fourmilier. Pour les 20 % restants, la liste est longue, car le jaguar sait faire preuve d'opportunisme. On trouve des marsupiaux (opossums), des agoutis et divers petits rongeurs, des petits carnivores (coatis, sconses, kinkajous), des reptiles (iguanes et serpents), des oiseaux et des tortues d'eau douce. Un tiers des fèces contiennent également des herbes. Le jaguar capture ce qui est le plus simple pour lui, selon l'abondance relative des proies. Les autres félidés doivent adapter leur régime à celui de l'espèce dominante.

D'après l'analyse de leurs fèces, les ocelots du Belize consommeraient essentiellement des restes de petits rongeurs et d'opossums (80 %), et, pour compléter, des pacas, des tatous, des opossums de Virginie. La seule analyse à laquelle on ait procédé sur des fèces de jaguarondi, au Belize, a livré des restes d'opossum. Dans ces conditions, il est vrai que l'ocelot et le jaguarondi pourraient entrer en compétition avec le jaguar.

Le jaguar prédateur d'autres félins

La rivalité entre les espèces ne se manifeste pas seulement lors de la recherche de nourriture. Elle est parfois plus directe. Un chasseur du Belize a raconté qu'il avait été attiré, une nuit, par des grondements de jaguar dans la forêt : un ocelot était perché dans un arbre au pied duquel se tenait un jaguar mal intentionné. Un auteur vénézuélien a vu un autre jaguar transporter dans sa gueule le cadavre d'un ocelot qu'il avait manifestement tué. Il a également découvert un site où un jaguar et un puma avaient dû s'affronter ; il ne restait que les pieds du puma, probablement entièrement dévoré par le jaguar ! La cohabitation entre ces espèces est donc loin d'être toujours pacifique. Les petits chats doivent prendre soin d'éviter leur grand cousin, même si leurs proies habituelles, petits rongeurs et opossums, sont rarement au menu du jaguar.

La forêt amazonienne et l'ensemble de l'habitat du jaguar n'ont jamais dû héberger une nombreuse faune, et certaines espèces comme les cervidés y sont peu nombreuses et de petite taille. Il est donc possible que la faible densité des proies potentielles ait contribué à réguler la densité des jaguars en Amérique du Sud, beaucoup plus que l'inverse. Dans ce contexte, les effectifs de jaguars ont suivi les fluctuations de la faune. C'est pourquoi ils ont vraisemblablement augmenté avec l'arrivée des troupeaux européens. Mais la situation a vite évolué. Maintenant, les jaguars sont tués massivement, car les exploitants leur reprochent de s'attaquer à leurs bovins.

À côté des restes de tapirs, de cervidés, de tatous et de fourmiliers, de rongeurs gros et petits ou encore de caïmans, de poissons et d'oiseaux, on a aussi retrouvé plusieurs fois des restes de jaguars dans des estomacs de jaguars. Il s'agissait en général d'estomacs de mâles adultes. Ceux-ci avaient pu attaquer, tuer et manger un congénère plus petit ou plus faible. Comme un certain nombre d'autres mammifères, le jaguar mâle peut tuer les jeunes de sa propre espèce quand il les rencontre. Il s'agit peut-être d'un facteur d'autorégulation de la population de jaguars qui contribue à conserver l'équilibre de la faune environnante. □

L'écosystème de la forêt équatoriale amazonienne est l'un des plus complexes qu'il nous soit donné de rencontrer. Parmi les seuls félidés, on peut voir cohabiter deux grandes espèces (le puma et le jaguar), trois moyennes (l'ocelot, le jaguarondi et le margay), et au moins une petite (le petit chat-tigre). La répartition dans l'espace de chacune de ces espèces prédatrices et leurs choix alimentaires sont nécessairement assez subtils pour permettre aux unes et aux autres de vivre pacifiquement. Ce qui n'empêche pas les rivalités de se faire jour parfois. En zone équatoriale, la diversité de la faune va de pair avec des densités peu élevées pour chaque espèce. Et les transformations actuelles de la forêt amazonienne peuvent avoir des répercussions importantes sur la survie de ces espèces.

Un félin américain devenu rare

À l'évocation du jaguar se mêlent la peur et l'admiration. Les hommes, qui ont longtemps partagé la même forêt que lui, ont cherché à s'approprier ses qualités par la magie, ou par la capture. Puis les chasseurs ont pris le relais, car sa peau est très prisée. Des mesures de protection ont été mises en place, depuis dix ans, pour préserver cette espèce en danger.

De l'histoire à la légende

■ Quelle que soit l'origine précise du jaguar, il est sûr qu'il a précédé les hommes en Amérique. Le mot « jaguar » lui-même est d'origine amérindienne. Il proviendrait du tupi brésilien « janou-ara », se serait transformé en « janouare » à la fin du XVIe siècle et aurait été fixé sous sa forme actuelle par Buffon, dès 1761. Au Mexique, les Aztèques appelaient le jaguar « ocelotl ».

Le félin figure en bonne place dans les traditions d'Amérique centrale et du Sud, du Mexique jusqu'au Pérou, depuis les Aztèques et les Mayas jusqu'aux Incas. Il habite les légendes et reste gravé dans la pierre depuis la nuit des temps. De nombreuses sculptures de félins grimaçants ont été retrouvées, sans que l'on sache toujours s'il s'agit du puma ou du jaguar, si l'animal est une divinité ou si la divinité a pris la forme de l'animal.

Chez les Mayas du Guatemala et chez leurs descendants actuels, le jaguar n'est pas vraiment considéré comme un dieu, mais il est très présent dans la vie spirituelle.

Certains de ses attributs — la force, la puissance, la faculté de se déplacer et de chasser durant la nuit — sont des traits divins. Du moins, ils en sont le symbole. Les princes mayas étaient revêtus de peaux de jaguar. Les Olmèques, qui vivaient à l'époque des Mayas et qui avaient certainement des contacts avec eux, ont laissé de nombreuses représentations de chimères mi-homme mi-jaguar.

De nos jours encore, il existe des groupes ethniques qui continuent à se servir d'une peau de jaguar lors de cérémonies, à porter des griffes et des canines pour se protéger et être investis de la force de l'animal. Le sang du félin est réputé transmettre la force et la puissance à un nouveau-né ou à celui qui le boira. □

La peau du jaguar est très prisée. Les marchés internationaux sont aujourd'hui à peu près contrôlés. Mais le commerce local se poursuit, de manière sauvage. Il sera probablement assez difficile à gérer.

Récits de rencontres

■ Les récits de l'explorateur allemand Alexandre von Humboldt laissent penser que les jaguars étaient plus faciles à rencontrer au début du siècle dernier.

En débarquant un jour, il vit un énorme jaguar couché sous un arbre, qui s'apprêtait à déguster un capybara qu'il tenait sous sa patte. Non loin, une foule de vautours observait. Le félin, alerté par le bruit du bateau, abandonna sa proie pour se cacher et les vautours s'approchèrent. Visiblement furieux, le jaguar réapparut, bien décidé à ne pas se laisser ravir son festin, qu'il emporta dans la forêt.

Il semble bien que l'homme n'ait pas à craindre le félin et qu'il n'y ait pas de jaguar mangeur d'homme. Von Humboldt rapporte même l'histoire d'un jaguar jouant avec un enfant et qui s'était enfui lorsque celui-ci l'avait frappé. Cette tradition de félin pacifique remonte à la conquête espagnole : un puma et un jaguar, lâchés par les Indiens d'un village pour attaquer les Espagnols de Pizarro, se seraient couchés au pied des conquistadores.

Pourtant, le jaguar est considéré comme un félin puissant. Selon l'écrivain sud-américain Azara, un jaguar aurait été capable d'entraîner un cheval sur une centaine de mètres jusqu'à un cours d'eau où il l'aurait noyé. □

Jaguars et bovins : gourmandise et nécessité

■ La protection des bovins dans les ranches justifie la chasse au jaguar, car ce prédateur ne dédaigne pas d'entamer les cheptels pour assouvir sa faim. Au Venezuela comme au Brésil, de grandes zones d'élevage intensif de bovins se sont créées sur les terres les plus riches, souvent en lisière des forêts, sur les savanes sud-américaines appelées « llanos » au Venezuela, et toujours bien arrosées. Bref, le domaine de prédilection du jaguar.

Dans ces secteurs, la quantité de proies potentielles disponibles pour le jaguar a donc augmenté

Lorsqu'un jaguar s'en prend exclusivement au bétail domestique, au détriment de ses ressources alimentaires traditionnelles, les mesures à prendre sont limitées. Si l'on capture l'animal vivant et qu'on le relâche ailleurs, on risque de rejeter le problème sur un autre ranch. La solution la plus simple et la plus radicale consiste à éliminer le prédateur mis en cause. En tout cas, ces attaques fournissent un alibi facile à qui veut aujourd'hui continuer à chasser l'espèce, malgré les règlements.

avec l'arrivée des exploitants agricoles, et, par endroits, certains jaguars traquent les cochons marron retournés à l'état sauvage, tandis que d'autres recherchent les chiens, voire les chevaux.

La plupart continuent à se nourrir de proies traditionnelles, qui ne manquent pas dans les parages. Mais d'autres marquent une préférence pour les troupeaux domestiques. Le plus souvent, le jaguar attaque des veaux de 12 à 18 mois, ce qui ne l'empêche pas de maîtriser parfois des taureaux de 500 kg. L'importance des dégâts est très difficile à évaluer. Un jaguar peut arriver à tuer 2 ou 3 têtes de bétail par semaine et ne plus consommer que de la viande de bœuf ! Il préfère en général

commencer son festin par la langue...

On raconte que certains individus auraient tué 100 bovins en 2 ans avant d'être abattus. Souvent, les bovins sont pris lorsqu'ils sont conduits dans une nouvelle pâture ou lorsqu'ils ne connaissent pas encore le jaguar. Si le jaguar peut apprendre à s'approcher des bovins, ceux-ci — en particulier les taureaux — sont aussi capables de le chasser lorsqu'il rôde autour de leur pâturage.

Les éleveurs ont depuis longtemps cherché à se prémunir contre ces rapines. À côté des méthodes préventives (surveillance, clôtures, composition des troupeaux), des actions plus offensives sont entreprises (appât

empoisonné, piège à fusil placé à côté d'une carcasse fraîchement tuée, chasse spécifique pour éliminer un jaguar qui a trop pris goût à la viande bovine).

D'une façon générale, il paraît possible de protéger les élevages contre les attaques des prédateurs si certaines règles sont respectées. Et surtout sans procéder à des destructions sauvages non contrôlées. En cas d'alerte, l'éleveur devrait prévenir les autorités, afin qu'un spécialiste puisse rapidement proposer la meilleure réponse possible. S'il s'avère qu'un jaguar se spécialise vraiment dans la consommation de viande bovine et qu'il n'y ait pas moyen de l'en détourner, alors, seulement, on se décidera à l'éliminer. □

Un équilibre bouleversé

■ Officiellement, le jaguar est protégé dans chacun des pays où il est susceptible de s'établir. Mais il est impossible de faire respecter toutes les réglementations alors que la demande de nouvelles terres augmente. Des zones forestières sont rasées et, près des chantiers, des chasseurs professionnels, chargés de nourrir le personnel, traquent les mêmes proies que le jaguar. Celui-ci s'attaque alors aux animaux domestiques. Dans ces conditions, il existe effectivement des dérogations à la sauvegarde du jaguar. Mais cet engrenage conduit à la disparition des espaces naturels et des espèces sauvages. □

Fourrure : le lourd tribut de l'élégance

■ Jusque dans les années 1970, le jaguar a été victime du commerce de la fourrure, très florissant aux États-Unis et en Europe. Pour y remédier, il a fallu changer les réglementations en vigueur dans les pays importateurs et, surtout, faire baisser la demande. Une campagne de sensibilisation d'opinion a été lancée contre le port et le commerce des peaux de félins tachetés, et la Convention de Washington fut créée.

Ce travail n'a pas été vain. En 1968, quelque 13 000 peaux de jaguar étaient importées aux États-Unis. Quatre ans plus tard, ce commerce était pratiquement arrêté. En 1980, les statistiques officielles ont enregistré le commerce de 634 peaux, dont 587 entrées en Italie en provenance du Paraguay, et 14 trophées de chasse déclarés.

Parallèlement, les prix ont considérablement baissé sur les marchés internationaux : une peau vendue 180 dollars il y a quelques années vaut maintenant à peine 10 dollars. Partout dans le monde, le trafic des peaux de félins s'est nettement ralenti. □

Réserves naturelles et parcs zoologiques : des observatoires de l'espèce

■ La plupart des pays qui abritent des populations de jaguars ont institué des parcs nationaux et des zones de réserve où l'ensemble des espèces est protégé. En Amérique centrale, il existe 46 zones de ce type, qui totalisent 4,3 % de la superficie totale de la région. Des pays comme le Mexique, le Panamá, le Belize, le Honduras ont des zones-refuges où l'espèce bénéficie d'une protection.

En 1986, le jeune État du Belize a créé la première réserve spécialement dédiée au jaguar, en partie grâce aux travaux d'Alan Rabinowitz.

En Guyane française, où l'espèce est bien implantée, il n'existe pas de réserve naturelle.

Ailleurs, on s'efforce de préserver l'ensemble des espèces et des écosystèmes. Mais visiter ces parcs et aller y observer la faune dans son environnement naturel est difficile. La forêt amazonienne ne s'y prête pas, et les animaux ne se laissent approcher ni par les touristes ni par les scientifiques.

Ainsi, rencontrer des jaguars dans leur cadre de vie est exceptionnel et les véritables photographies de jaguars sauvages vivants sont rarissimes. Il est pratiquement impossible de les voir et encore plus de les photographier. Le plus souvent, les animaux photographiés sont en semi-liberté ou suffisamment apprivoisés pour être promenés en forêt.

En outre, dans ces contrées, l'habitude est encore de tirer à vue dès que l'on rencontre un jaguar. Et les porteurs de fusil sont nombreux en Amérique latine ! Si bien que les animaux sont extrêmement méfiants et craignent l'homme. C'est d'ailleurs réciproque ! Pourtant, rares sont les hommes qui ont été attaqués par un jaguar.

Cela dit, croiser, même fugitivement, la belle silhouette du félin mérite le détour, sans nul doute. Si le visiteur naturaliste n'a pas cette chance, il aura néanmoins plaisir à suivre ses traces et à les examiner tout à loisir.

Le jaguar est relativement facile à élever en captivité et de nombreux parcs zoologiques en hébergent. C'est certainement grâce à ces animaux captifs que l'on connaît quelque peu les conditions de sa reproduction. Dans le milieu naturel, les observations restent trop fugaces, quand elles ne se terminent pas par un coup de fusil. Souvent, des animaux équipés d'un collier émetteur et suivis par des chercheurs ont été abattus sur le terrain où ils étaient étudiés !...

Par conséquent, c'est dans son environnement naturel que l'espèce doit être préservée. Il paraît peu sérieux d'imaginer la mise en liberté d'animaux élevés en captivité : les félins acquièrent leur comportement de prédateur durant le long apprentissage auquel leur mère les soumet au cours des premières années de leur vie. Cette formation est irremplaçable et l'on ne peut rien lui substituer.

Si l'on veut connaître et protéger une espèce comme le jaguar, il paraît raisonnable de combiner les études de terrain sur des sujets à l'état sauvage et les informations biologiques que l'on peut obtenir à partir d'animaux nés ou vivant en captivité. De la sorte, ces deux démarches se compléteront mutuellement. Quoi qu'il en soit, l'objectif reste bien de choisir la meilleure façon possible de maintenir l'espèce dans son milieu naturel d'origine, en harmonie avec les écosystèmes et avec certaines activités humaines. □

L'époque la plus florissante pour le commerce des peaux de jaguar et d'ocelot se situe à la fin des années 1960. Depuis, ce commerce est interdit et apparemment respecté. Cependant, les douanes allemandes ont déjà saisi près de 60 000 peaux de « nouvelles » espèces, depuis 1986. Ces fourrures proviennent du centre du continent sud-américain. La demande n'a peut-être pas cessé, au contraire de ce que l'on croyait. Le colocolo et le chat de Geoffroy surtout en font les frais, depuis que l'ocelot, le margay et le petit chat-tigre sont protégés.

LE PUMA

Les Indiens Quechuas du Pérou donnèrent le nom de puma à ce grand chat mystérieux au pelage uni, sans doute originaire du vaste continent américain, qu'il peuple encore aujourd'hui. Présent du Canada à la Patagonie, il est le seul félidé à avoir une aussi large distribution géographique.

Malgré sa grande taille, *Felis concolor* est plus proche des chats sauvages que des panthères (genre *Panthera*), même si, en Floride, on lui donne le nom de cette espèce. Son anatomie indique sans ambiguïté sa relation zoologique avec d'autres représentants du genre *Felis* comme le lynx et l'ocelot. Les petits félidés, dont fait partie le puma, ne peuvent pas rugir et ont tous une bande de peau nue sur le dessus du nez. Les scientifiques distinguent pour l'instant trois grandes lignées au sein de la famille des félidés. Dans l'une d'elles se trouveraient réunis le puma, les deux espèces de chats dorés (l'une africaine et l'autre asiatique), le guépard et le caracal.

Cet ensemble, relativement hétérogène, se serait séparé du tronc commun il y a environ 8 millions d'années, les cinq espèces ayant toutefois évolué pendant tout ce temps de façon plutôt indépendante. Pour le puma proprement dit, la seule certitude à l'heure actuelle est qu'aucun reste fossile n'a été retrouvé dans le monde ailleurs que sur le continent américain. Les fossiles les plus anciens qui puissent être attribués à *Felis concolor* datent d'il y a 300 000 années et ont été trouvés dispersés à travers les États-Unis. Des documents attestent la présence du puma à la même époque en Amérique du Sud. Seule une autre espèce de félidés, appelée *Felis inexpectata*, est antérieure. Il s'agit d'un puma dont la taille est supérieure de un tiers environ à celle du puma que nous connaissons. Des restes fossiles de ce félidé, remontant à une période située entre 2 500 000 et 500 000 ans, ont été trouvés, essentiellement dans le centre et l'est des États-Unis. Les chercheurs ignorent encore si *Felis concolor* et *Felis inexpectata* descendent d'un ancêtre commun.

Pour certains auteurs, le puma, ce grand chat à la robe unie, présent dans tout le Nouveau Monde, aurait certains points communs avec le guépard, qui vivait aussi en Amérique dans les temps anciens. Un tel lien est peut-être à mettre en relation avec la rumeur selon laquelle il existerait, aujourd'hui encore, des guépards au Mexique. En 1986, un animal que l'on ne parvenait pas à identifier a été tué dans ce pays, et il a fallu le faire examiner par des chercheurs de l'université de Mexico pour s'apercevoir qu'il s'agissait, en fait, d'un puma. □

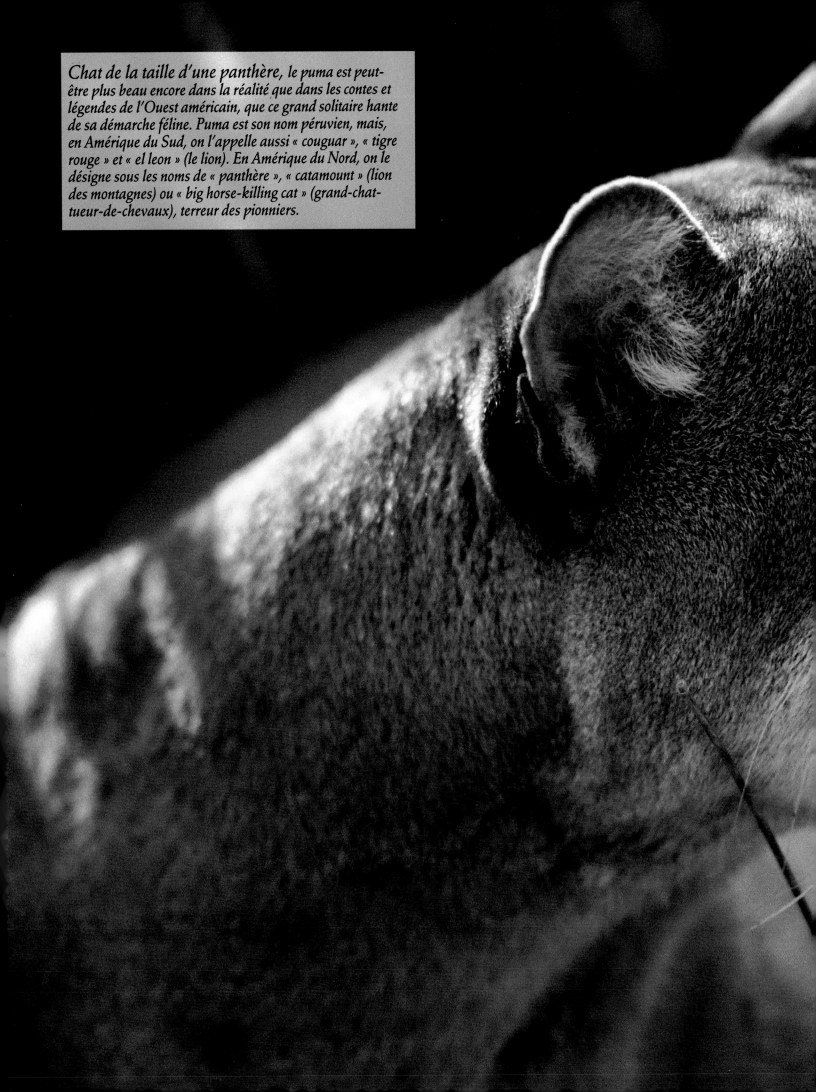

Chat de la taille d'une panthère, le puma est peut-être plus beau encore dans la réalité que dans les contes et légendes de l'Ouest américain, que ce grand solitaire hante de sa démarche féline. Puma est son nom péruvien, mais, en Amérique du Sud, on l'appelle aussi « couguar », « tigre rouge » et « el leon » (le lion). En Amérique du Nord, on le désigne sous les noms de « panthère », « catamount » (lion des montagnes) ou « big horse-killing cat » (grand-chat-tueur-de-chevaux), terreur des pionniers.

Un vaste domaine pour un animal solitaire

■ Du Yukon, au nord de l'Amérique, jusqu'au sud de l'Argentine, le puma vit dans toutes sortes de milieux, pourvu que la végétation — brousse, conifères, plantes tropicales ou montagnardes — lui permette d'approcher sa proie sans être vu.

Ces félins sont des animaux solitaires. Toutes les études effectuées jusqu'à présent montrent que chaque animal vit sur son propre domaine vital et qu'il évite autant qu'il le peut de rencontrer ses congénères. Les quelques moments de convivialité sont la brève période de la reproduction et celle durant laquelle la femelle élève seule sa progéniture.

Au nord-ouest des États-Unis, les pumas mâles vivent toujours sans contacts avec leurs voisins du même sexe, dans de vastes domaines vitaux. Lorsqu'il s'agit de femelles, ces domaines peuvent être plus restreints, et l'on assiste, dans certains cas, au recouvrement partiel d'un même territoire entre voisins. Habituellement, le domaine vital des femelles est, en partie ou en totalité, inclus dans le territoire d'un mâle. Mais les animaux ne se rencontrent pas, excepté lorsque l'époque de l'accouplement arrive.

Des migrations saisonnières

Toujours dans ces mêmes régions, la situation et l'étendue des territoires fréquentés varient selon les saisons. Le puma descend vers le fond des vallées en hiver et remonte sur les hauteurs à la fonte

Le puma sait nager, mais il faut vraiment qu'il fasse chaud pour qu'il se mette à l'eau spontanément. Dans les régions boréales, il évite de se mouiller. Frileux, il trouve sans doute l'eau trop froide, sauf en plein été.

des neiges. En fait, l'animal suit ses proies. Le domaine fréquenté par un puma mâle en été peut couvrir jusqu'à 300 km², alors qu'en hiver il ne représente qu'une centaine de kilomètres carrés. La superficie du territoire de la femelle est identique à celle du domaine du mâle, en hiver, alors qu'en été elle est de 100 à 200 km². Plusieurs études sur l'étendue des domaines vitaux des pumas (mâles et femelles confondus) ont été menées. Elles ont montré que la fourchette des superficies varie de 106 à 293 km² en été, et de 31 à 243 km² en hiver. En moyenne, un mâle adulte occupe de 65 à 90 km² et une femelle de 40 à 80 km², ce qui donne une densité d'environ un puma pour 26 km².

Il existe évidemment des records : au Canada, en Colombie-Britannique, à la limite nord de l'espace géographique fréquenté par l'espèce, un animal occupait à lui tout seul un domaine atteignant 650 km².

Apparemment, les facteurs territoriaux propres à l'espèce sont plus importants pour la densité de la population que, par exemple, la disponibilité des proies. Ainsi, une étude menée dans l'État de l'Ida-

ho, aux États-Unis, a montré que la densité de pumas restait de 1 sujet pour 35 km² quelle que soit celle des proies.

Très mobile, le puma couvre quotidiennement de grandes distances, et il lui faut plusieurs jours pour parcourir son domaine en entier. Il ne recherche pas d'abri fixe, sauf lorsque la femelle va mettre bas. Capable de grimper et de nager, il préfère cependant la terre ferme et n'aime guère se mouiller. L'essentiel pour sa survie est qu'il dispose en permanence d'eau douce et qu'il bénéficie d'un couvert végétal ou minéral (éboulis, blocs rocheux) lui permettant d'être à l'abri des regards au moment de la chasse.

En fait, si le puma possède un territoire propre, il ne va pas jusqu'à le disputer à ses congénères, qu'il se contente plutôt d'éviter. L'espace fréquenté est suffisamment vaste pour permettre l'errance des adultes ou, chez les jeunes, la recherche d'un domaine personnel. À chacun d'éviter la portion de domaine vital occupée ces jours-là par un résident.

Bien que l'ensemble des informations sur l'espèce provienne des États-Unis, il n'y a aucune raison de penser que les habitudes des pumas soient très différentes ailleurs, même si, évidemment, des nuances existent entre les pumas des montagnes Rocheuses, ceux des Andes et ceux de la forêt équatoriale amazonienne.   □

Parcourant sans cesse les vastes espaces où il vit, le puma est chez lui, dans la forêt comme en montagne. Aux États-Unis, les Rocheuses ont longtemps été pour lui un refuge, ce qui est peut-être à l'origine de l'un de ses surnoms : « lion des montagnes ».

La couleur de son pelage se fond avec celle des roches où il cherche abri et le dissimule aux regards des autres pumas ou de ses proies.

Le puma, 5

Pour se nourrir, les pumas disposent d'une dizaine d'espèces différentes de cervidés — du gigantesque élan canadien, que les Québécois appellent orignal, au minuscule poudou, présent dans les Andes, en Équateur et au Pérou d'une part, au Chili et en Argentine d'autre part. Selon que les proies sont abondantes ou non, un puma de 50 à 60 kg attaquera un élan de plus de 200 kg, ou un poudou pesant seulement 5 kg.

Une préférence marquée pour les cerfs

■ La liste des animaux chassés par ce grand chat est plutôt longue, mais les lièvres, les castors, les porcs-épics de l'Amérique du Nord ne constituent pour lui qu'une ressource subsidiaire — tout comme les opossums, les agoutis et les pacas d'Amérique du Sud. Les proies qu'il préfère chasser sont toutes les espèces de cervidés : en Amérique du Nord, wapitis *(Cervus canadensis)*, cerfs de Virginie *(Odocoileus virginianus)*, cerfs-mulets *(O. hemionus)* ; en Amérique du Sud, cerfs daguets *(Mazama sp)*, cerfs des pampas *(Ozotoceros bezoarticus)* ou cerfs des Andes *(Hippocamelus antisensis)*.

Selon des études effectuées essentiellement aux États-Unis, le cerf-mulet et le wapiti représentent la grande majorité des proies du puma dans l'Ouest. Dans l'Idaho, des études sur le terrain ont montré qu'il existait un puma prédateur pour 114 cerfs-mulets et pour 87 wapitis.

Le puma ne chasse pas vraiment à l'affût. Lors de ses déplacements nocturnes, il déambule en silence, attentif à tous les bruits. Au moindre mouvement, il se fige, évalue les distances et ses chances de réussite. Puis, c'est une approche feutrée jusqu'à quelques mètres de la proie convoitée et, enfin, la charge. L'attaque est foudroyante. Favorisée par la longueur et la puissance des pattes postérieures, elle s'effectue à 80 km/h, cette vitesse ne pouvant toutefois être maintenue que pendant quelques secondes. Si le puma démarre de trop loin, le cerf peut l'entendre et lui échapper. C'est pourquoi deux ou trois essais infructueux précèdent souvent une capture.

Le puma a besoin d'une proie par semaine, ou toutes les deux ou trois semaines, selon que l'animal tué est plus ou moins grand. Son premier repas achevé, il recouvre le cadavre de feuilles et de branchages et revient plus tard dévorer le reste de sa pitance, si un intrus n'est pas venu la lui dérober.

Une proie plus grosse que lui

Dans certains cas, la différence de taille entre le prédateur solitaire et sa proie est supérieure à celles que l'on connaît chez les autres grands carnivores. Il n'est pas rare qu'un puma tue un wapiti pesant 4 fois plus que lui. On a vu une femelle de 44 kg capturer un wapiti d'un poids 6 ou 7 fois supérieur au sien, et une autre, de 45 kg, se saisir d'un élan de 240 kg... Mais ces exploits ne sont pas sans danger : des pumas ont été blessés, voire tués, lors d'attaques manquées en terrain difficile, proie et prédateur, emportés par la violence du choc, allant se fracasser contre un arbre ou un rocher.

Pour tuer, le chasseur cherche tantôt à atteindre directement la carotide, tantôt à briser les vertèbres cervicales de sa victime en l'attaquant de biais ou de côté. La bête meurt aussitôt.

Enfin, le puma s'en prend beaucoup moins au bétail qu'on a voulu le prétendre excepté dans le sud-ouest des États-Unis, où ce genre d'agression semble régulier. □

Le puma repère ses proies en se servant essentiellement de l'ouïe et de la vue, l'odorat intervenant peu. Ce prédateur ne consomme que les animaux qu'il a lui-même capturés, mais il le fait en plusieurs étapes, revenant sur un cadavre dont il a déjà dévoré une partie. La légende selon laquelle le puma guetterait sa victime du haut d'une branche est inexacte. Le puma est un chasseur terrestre qui traque ses proies au sol.

En famille
pendant presque deux ans

■ La vie relativement silencieuse et surtout solitaire du puma ne s'anime qu'au moment de la reproduction. Celle-ci peut avoir lieu à n'importe quelle saison. En Amérique du Nord, elle est toutefois plus fréquente à la fin de l'hiver et au printemps. Chez les pumas, la femelle peut avoir plusieurs cycles œstraux consécutifs, avec une période de chaleurs qui dure de 9 à 11 jours.

Pour les mâles, ces chaleurs sont alors repérables soit à l'urine, soit aux miaulements de la femelle, semblables à ceux des chattes domestiques, mais beaucoup plus bruyants encore. Il arrive que plusieurs mâles se retrouvent autour de la même femelle, ce qui peut entraîner des conflits. L'ovulation se produit, comme chez les chattes, à la suite d'accouplements assez brefs, puisqu'ils durent moins d'une minute. Durant ceux-ci, la femelle est couchée au sol, tandis que le mâle la mord généralement à la nuque. Ces accouplements se répètent plusieurs fois par jour pendant les quelques brèves journées où le couple est réuni. Après quoi, le mâle s'éloigne. Pendant les trois mois de gestation (de 90 à 96 jours) qui précèdent la naissance, la femelle vit et chasse seule. Au cours de cette période, les embryons sont fragiles et on a observé que la mortalité embryonnaire était assez élevée (15 %).

Pour une fois sédentaire

L'approche de la mise-bas incite la future mère à rechercher sur son domaine un abri sûr où elle pourra donner le jour à sa portée. C'est l'unique moment où l'on voit un puma demeurer dans une tanière. Il s'agit tantôt d'une caverne, tantôt d'une grotte, tantôt encore, dans les zones de forêts, d'un fourré dense ou d'une cavité formée par un grand arbre déraciné.

Le nombre de jeunes varie de 1 à 6 (3 ou 4 en moyenne). À la naissance, les petits sont aveugles et pèsent de 220 à 450 grammes.

Leur queue est annelée et leur pelage est tacheté comme celui des lionceaux africains. Ces taches disparaissent quand les jeunes atteignent l'âge de 6 mois. Pendant les deux premiers mois, ils sont totalement dépendants de leur mère. Celle-ci, d'habitude si mobile, ne s'éloigne d'eux que le temps indispensable pour se nourrir. Les petits sont alors à la merci de n'importe quel maraudeur. D'où l'importance de la saison à laquelle survient la mise-bas et du choix du lieu, à proximité d'une nourriture abondante.

La femelle possède 3 paires de mamelles et son lait contient 35,5 % de matière sèche (le lait de chat en contient seulement 18,2 %). Il s'agit d'un aliment particulièrement riche en lipides ou matières grasses et en protéines, mais assez peu sucré.

Le sevrage a lieu lorsque les petits ont trois mois, âge auquel ils suivent déjà leur mère dans sa vie itinérante. À 6 semaines, les jeunes pumas goûtent à la nourriture solide. S'ils naissent au printemps, ils sauront chasser seuls dès la fin de l'hiver, époque à laquelle ils commencent à s'émanciper. Le plus souvent, ils restent avec leur mère pendant 18 à 20 mois ; puis, parfois, les jeunes d'une même portée vivent ensemble durant 2 à 3 mois, avant de s'engager dans la vie solitaire des adultes. Les femelles se reproduisent en général un an sur deux. □

LA CROISSANCE
DES JEUNES PUMAS

Les petits pumas grandissent très vite. De 6 à 18 mois environ, quand les animaux vivent en famille avec leur mère, cette croissance s'accélère tant chez les mâles que chez les femelles. Ils mènent alors ensemble une vie itinérante. Puis ils s'émancipent, se séparent et commencent leur vie solitaire. Cette dispersion coïncide avec une interruption marquée de la croissance des animaux des deux sexes. À cet âge, les femelles ont pratiquement atteint leur taille adulte. En revanche, la croissance des jeunes mâles reprend et peut se prolonger au-delà de la maturité sexuelle (3 ans).

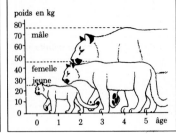

poids en kg

Les petits pumas res-
semblent vraiment à
nos petits chats. Ils
sont juste un peu plus
grands à la naissance.
Comme tous les repré-
sentants du genre
Felis, ils ronronnent
lorsqu'ils tètent. Les
taches qui recouvrent
leur corps sont un sou-
venir de l'ancêtre des
félidés. La perte de ces
taches chez l'adulte est
un phénomène rare
chez les félidés : outre
chez le puma, il ne se
produit que chez le
lion, le jaguarondi et
chez certains chats
dorés.

Les jeunes pumas sont curieux, vifs et très souples

Première épreuve à affronter par les jeunes pumas au moment de leur émancipation : l'acquisition d'un domaine vital. Dans certains cas, il leur faut parcourir près de 50 km avant de trouver un espace qui leur convienne, riche en gibier et en abris. C'est, pour ces prédateurs, une question de survie. D'où l'importance du jeu comme apprentissage. Chez tous les mammifères, le jeu fait partie de la croissance normale des jeunes. Il est essentiel pour les jeunes carnivores, en vue de la chasse. Les exercices des chatons évoquent précisément ceux de l'adulte face à sa proie : on retrouve l'approche, le bond sur l'animal, l'étreinte avec les pattes antérieures et la morsure. À cette différence que le petit gaspille beaucoup d'énergie. Mais ce gaspillage n'est pas inutile. Plus tard, le jeune saura apprécier la distance qui le sépare du cervidé, mesurer son effort pour l'atteindre et même évaluer le danger que représente un mâle chargé de face.

Le petit puma a toujours tout un arsenal de « jouets » qui lui permettent d'apprendre à chasser. La tortue en fait partie, à son corps défendant bien entendu, et cela même si les pumas ne mangent pas cet animal. Qu'importe. Plus tard, les jeunes sauront faire la distinction entre les espèces que l'on peut chasser et les autres. Peut-être est-ce en jouant avec les tortues que les pumas apprennent à retourner, sans se piquer, les porcs-épics, dont ils sont très friands, et à les saisir avec précaution par le ventre, sans se blesser.

Double page suivante :
Aujourd'hui, le puma, ou « lion des montagnes », est enfin apprécié pour ce qu'il a pourtant toujours été : un grand et magnifique félin au regard un peu grave.

Puma
Felis concolor

■ Plus proche, malgré sa taille, du chat domestique que du lion ou du tigre, le puma est un félin d'une élégance remarquable. Sa tête est relativement petite. Ses pattes assez fines et allongées, plus longues à l'arrière que devant, assurent la puissance et la rapidité de l'animal lors de l'attaque des proies. Elles sont terminées par des doigts aux griffes rétractiles — 5 à l'avant et 4 à l'arrière. Un puma peut sauter dans un arbre à 5,5 m au-dessus du sol. Appartenant au genre *Felis* comme les chats sauvages, il ronronne, mais ne rugit pas, comme les grands félins, tels le lion ou le tigre.

La modeste dimension de la tête n'entraîne pas une faiblesse des sens, qui sont, au contraire, surtout en ce qui concerne l'ouïe et la vision, bien développés. La pupille de ce félin se rétrécit en pleine lumière et forme alors une mince fente verticale, mais elle donne toute sa mesure dans la pénombre et l'obscurité. L'importance de la vue chez ce prédateur est sans doute à l'origine de la réaction de sa proie, qui se fige sur place lorsqu'elle se sent observée, cherchant ainsi à se fondre dans le paysage. En revanche, l'odorat du puma paraît moins aiguisé (pourtant, le mâle reconnaît la femelle →

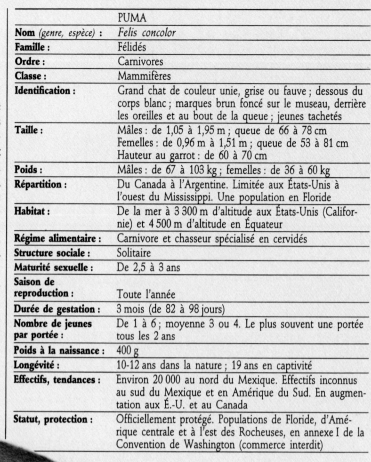

	PUMA
Nom (genre, espèce) :	*Felis concolor*
Famille :	Félidés
Ordre :	Carnivores
Classe :	Mammifères
Identification :	Grand chat de couleur unie, grise ou fauve ; dessous du corps blanc ; marques brun foncé sur le museau, derrière les oreilles et au bout de la queue ; jeunes tachetés
Taille :	Mâles : de 1,05 à 1,95 m ; queue de 66 à 78 cm Femelles : de 0,96 m à 1,51 m ; queue de 53 à 81 cm Hauteur au garrot : de 60 à 70 cm
Poids :	Mâles : de 67 à 103 kg ; femelles : de 36 à 60 kg
Répartition :	Du Canada à l'Argentine. Limitée aux États-Unis à l'ouest du Mississippi. Une population en Floride
Habitat :	De la mer à 3 300 m d'altitude aux États-Unis (Californie) et 4 500 m d'altitude en Équateur
Régime alimentaire :	Carnivore et chasseur spécialisé en cervidés
Structure sociale :	Solitaire
Maturité sexuelle :	De 2,5 à 3 ans
Saison de reproduction :	Toute l'année
Durée de gestation :	3 mois (de 82 à 98 jours)
Nombre de jeunes par portée :	De 1 à 6 ; moyenne 3 ou 4. Le plus souvent une portée tous les 2 ans
Poids à la naissance :	400 g
Longévité :	10-12 ans dans la nature ; 19 ans en captivité
Effectifs, tendances :	Environ 20 000 au nord du Mexique. Effectifs inconnus au sud du Mexique et en Amérique du Sud. En augmentation aux É.-U. et au Canada
Statut, protection :	Officiellement protégé. Populations de Floride, d'Amérique centrale et à l'est des Rocheuses, en annexe I de la Convention de Washington (commerce interdit)

Robe.
La robe du puma adulte est unie, contrairement à celle de la plupart des félidés qui est rayée ou tachetée.

Pattes postérieures.
Les pattes postérieures ont 4 griffes rétractiles, contre 5 pour les pattes antérieures.

Queue.
La queue, assez longue par rapport au corps, aide l'animal à garder son équilibre durant les courses rapides.

Tête.
Relativement petite, la tête du puma rappelle moins celle d'une panthère que celle d'un chat.

en chaleurs à ses cris, mais aussi à l'odeur de son urine, et l'animal utilise sans doute son odorat lors de la phase finale de la chasse). Les vibrisses sont importantes sur le museau et autour de l'œil, favorisant la sensibilité du félin.

On distingue deux types de pelage chez le puma : l'un roux, qu'on associe d'ordinaire aux zones tropicales, l'autre d'un gris argenté, qu'on associe aux zones tempérées. Mais toutes les teintes intermédiaires existent et l'on trouve dans toutes les régions presque autant d'individus roux que d'individus gris.

La puissance de ce félidé a, de tout temps, frappé les biologistes. Elle est supérieure à celle des panthères, dont la taille est pourtant comparable. Le poids d'un puma adulte se situe autour de 60 kg. Les mâles les plus lourds atteignent 80 kg, voire 100 kg, le record connu étant de 125 kg pour un puma tué dans l'Arizona.

Mais ce poids n'empêche pas ce félidé de tuer des proies dont la masse est, dans certains cas, 5 fois supérieure à la sienne. Étant donné que le puma ne se contente pas de tuer sa victime, mais qu'il doit ensuite traîner la carcasse pour la mettre à l'abri dans un endroit propice à sa conservation, l'effort peut être considérable. Pour tuer, le félin utilise toutes ses dents — il en a 30. Les canines sont très développées et relativement innervées. Lors de la morsure, il est probable qu'elles permettent au puma de porter rapidement le coup fatal.

Le système digestif de ce carnivore est assez court et l'assimilation de la viande, rapide. Les besoins quotidiens d'un animal adulte sont de l'ordre de 1,8 à 2,7 kg. Ainsi, un cerf de 64 kg peut (si l'on tient compte des os) nourrir un puma pendant 10 à 14 jours.

Pour la reproduction, les cycles se succèdent régulièrement, apparemment tous les 23 jours. Une femelle a une portée tous les deux ans, plus rarement une par an, si la nourriture est particulièrement abondante. Il est possible que des femelles âgées donnent moins de petits que les plus jeunes. □

Signes particuliers

Mimique

Le puma souffle comme un chat et a souvent cette mimique qui exprime à la fois l'agressivité et la crainte. Il montre les dents, tout en couchant les oreilles et en clignant des yeux. Il découvre ses petites incisives et ses 2 crocs, présents à la mâchoire inférieure comme à la mâchoire supérieure. Le contraste entre la truffe, le blanc entouré de brun foncé du museau et le fond gris du pelage apparaît nettement, tandis que les oreilles, foncées elles aussi, sont rabattues.

Vibrisses

Les longues vibrisses plantées autour du museau et des yeux sont importantes chez le puma. Elles lui permettent de protéger ses yeux, l'aident à mieux s'orienter et à mieux repérer sa proie.

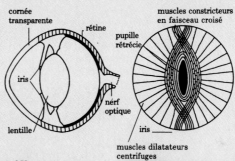

Griffes

À l'extrémité de la phalange terminale des doigts, les griffes rétractiles du puma restent très acérées Protégées par leurs étuis, elles ne sont jamais utilisées lors de la marche. Le marquage à coups de griffes sur les arbres semble indiquer une simple sensation de bien-être plutôt qu'une délimitation du territoire.

Œil

Comme tous les chats, le puma voit bien. En pleine lumière, la pupille se rétrécit grâce aux deux muscles en forme de ruban de l'iris, qui se croisent et ferment la pupille lorsque le puma les contracte.

Milieu naturel et écologie

■ La vaste zone géographique couverte par le puma sur le continent américain — du Yukon à la Patagonie — amène cet animal à s'adapter à des faunes et à des milieux très divers. Il n'est pas impossible que, sur une aussi grande étendue, les populations présentent des différences de morphologie ou de comportement. Malheureusement, les études restent rares, hormis celles conduites aux États-Unis. Malgré cette carence, des chercheurs ont cru pouvoir repérer — sur des bases très contestables — plusieurs sous-espèces géographiques, et certains sont allés jusqu'à en compter 30. La seule certitude est qu'au moins 3 de ces sous-espèces se trouvent dans des conditions précaires. Celle de Floride, menacée, ne survit plus maintenant qu'au cœur des marais, et les effectifs de *Felis concolor coryi* ne doivent pas dépasser une centaine d'individus (d'où le projet de protection dont elle fait l'objet de la part de plusieurs organismes internationaux). Quant à *Felis concolor couguar*, présent dans le nord-est du Canada et des États-Unis, il a pratiquement disparu à l'arrivée des Européens. Actuellement, il semble qu'un timide mouvement de reprise, notamment à l'est, puisse être enregistré. Enfin, les populations d'Amérique centrale appelées *Felis concolor costaricensis* sont également en difficulté, en raison de problèmes politiques et sociaux liés en particulier au déboisement.

Depuis la fin des années 1940, de nombreuses rumeurs ont fait état de la présence du puma à l'est du Mississippi. S'agit-il de restes de populations quasiment disparues, de lâchers clandestins, ou encore d'un début de reprise de l'espèce lié à la fin des massacres ? Pour l'instant, il est impossible de trancher. Et il n'existe pas de preuves suffisantes pour affirmer que d'autres populations sont viables en dehors de celle de la Floride, elle-même encore menacée.

À l'ouest, on estime qu'il existe environ 20 000 pumas au nord du Mexique, qui comprennent entre autres ceux de Californie (2 400), du Nouveau-Mexique (2 500), de l'Arizona (2 500), de l'État de Washington (2 000) et de la province de l'Alberta (1 000). Une des premières études faites sur le terrain s'est déroulée à partir de 1963 sous l'impulsion de Maurice Hornocker dans la « Primitive Area » (Idaho), région rebaptisée « zone sauvage de la rivière du non-retour ». Elle a porté sur la capture répétée (300 fois) de 63 pumas, permettant ainsi une meilleure compréhension de leur biologie. Préciser la relation entre ces prédateurs et les cerfs a été l'un des objectifs prioritaires proposés pour ces

Dans les zones semi-désertiques, le puma adapte son régime aux proies disponibles : il s'y nourrit par exemple de tatous et de pécaris à collier.

L'aire de répartition du puma est unique en zoologie pour l'étendue de l'espace couvert. C'est la plus vaste après celle de l'espèce humaine. Malheureusement, presque toutes nos connaissances concernant le puma proviennent d'une portion limitée de l'aire de répartition (partie nord-américaine). Et l'on manque d'études comparées sur les populations des plaines par rapport à celles des montagnes, les populations des forêts par rapport à celles des zones semi-désertiques. Après des décennies de destructions massives en Amérique du Nord, l'espèce jouit aujourd'hui d'un meilleur statut. Comme les cerfs font également l'objet d'une meilleure gestion, le puma regagne un peu de terrain dans l'est du Canada et l'est des États-Unis. Mais on s'interroge encore sur ce qui se passe au sud.

Cercle polaire arctique

CANADA

ÉTATS-UNIS

OCÉAN

Tropique du Cancer

MEXIQUE

ATLANTIQUE

BELIZE
GUATEMALA HONDURAS
SALVADOR NICARAGUA
COSTA RICA PANAMA

VENEZUELA GUYANA
SURINAM
COLOMBIE
Guyane française

OCÉAN

Équateur

ÉQUATEUR

PÉROU

BRÉSIL

PACIFIQUE

BOLIVIE

Tropique du Capricorne

PARAGUAY

CHILI

URUGUAY

ARGENTINE

Répartition actuelle
Répartition ancienne

0   1 000   2 000 km

recherches. Auparavant, les méthodes de travail avaient été pour le moins primitives. Ainsi, en 1920, pour protéger les cerfs-mulets sur le plateau de Kaibab en Arizona, on avait procédé tout simplement à l'élimination de tous les prédateurs — loups, coyotes et pumas ! Le résultat avait été spectaculaire : de 3 000, l'effectif de ces cervidés était passé à 30 000, mais il avait ensuite chuté en raison d'un surpâturage considérable. Tout n'était donc pas si simple et la poursuite des études dans l'Idaho allait permettre une approche plus nuancée. Selon celle-ci, il apparaît qu'initialement la densité de population des pumas était de 1 animal pour 35 km² ; celle des cerfs-mulets et des wapitis étant pour les premiers de 2,6 par km² et pour les seconds de 1,5 par km². Par la suite, cette densité a augmenté pour les cervidés, passant à 3,3 par km² pour le cerf-mulet et à 2,5 par km² pour le wapiti. Celle du puma, dont la ration — estimée à un cerf-mulet tous les 10 à 15 jours — n'a pas changé, demeurait au contraire stable. L'examen des proies prouve, en outre, que la plupart des animaux capturés par les pumas sont des jeunes ou des adultes mâles, et que 50 % d'entre eux sont, en fait, des animaux mal en point. L'effet de ces captures est donc négligeable pour la reproduction de l'espèce touchée. Aujourd'hui, on assiste à une multiplication des cerfs, certainement positive pour les pumas qui en profitent, sans menacer pour autant ces cervidés.

En ce qui concerne les rapports entre prédateurs, on constate que l'ours, le loup et le puma semblent s'éviter systématiquement en Amérique du Nord.

Puma et jaguar

Il reste beaucoup à faire pour comprendre la cohabitation de ces deux félidés américains. En montagne, l'habitat du puma atteint des hauteurs supérieures à celles fréquentées par le jaguar (*Panthera onca*). Au sud-est du Pérou, une première étude comparative de l'alimentation des deux espèces tend à montrer que le puma doit y modifier son régime et se nourrir de petites proies (de 1 à 10 kg), car le jaguar capture de préférence les proies habituelles du puma de taille plus importante telles que cerfs et pécaris. Au Belize, le jaguar est également tenté par les petits tatous.

Il est aussi possible que jaguars et pumas n'exploitent pas les mêmes milieux ou, en tout cas, pas en même temps. Enfin, il n'est pas exclu qu'un jaguar puisse, à l'occasion, tuer un puma. □

Terreur des pionniers de l'Ouest américain

Les Européens ont découvert le puma en même temps que le Nouveau Monde. Pendant longtemps, ils ont invoqué toutes sortes de prétextes pour l'éliminer. Aujourd'hui, les études sur la vraie nature de l'animal ne font que commencer et sa protection est entreprise.

Une réputation tenace d'animal dangereux

■ Comme le bison, le grizzly, le loup et le wapiti, le puma, qui vivait jadis dans les forêts de l'est et les plaines du centre de l'Amérique, en a été éliminé et s'est réfugié dans les montagnes Rocheuses. Les Amérindiens le connaissaient depuis longtemps et devaient admirer la force de ce félin solitaire et un peu mystérieux. Tuer l'un de ces superbes animaux était certes pour eux un exploit avec leurs armes plutôt artisanales. Il n'en fut pas de même pour les Européens qui débarquèrent avec leurs fusils à la fin du XVᵉ et au début du XVIᵉ siècle. C'est à cette époque que les véritables massacres commencèrent. Pour les pionniers, en effet, le puma était le symbole de la nature sauvage à dompter alors qu'il ne représentait pour eux qu'un danger relatif. Certes, son goût apparemment prononcé pour les jeunes chevaux lui a valu le surnom de « tueurs de chevaux », et, aujourd'hui, il lui arrive encore de tuer de jeunes bovins et surtout des moutons. Mais, alors, le puma avait largement de quoi se nourrir sans menacer les troupeaux.

Quant aux agressions contre l'homme, on en a enregistré en tout et pour tout une douzaine depuis le début du siècle. Et, tout le monde le reconnaît aujourd'hui, elles représentaient un comportement atypique lié à des circonstances exceptionnelles, telles que les réactions d'animaux blessés ou souffrant de la rage (des diagnostics de rage ont déjà été portés sur des pumas). Quoi qu'il en soit, les légendes sont tenaces. En Guyane française, le puma, ou « tigre rouge », semble plus craint que le jaguar. Et, dans l'Ouest américain mythique, que le cinéma présente au public, l'image du puma est toujours associée à la terreur : que de films où, par une nuit sans lune, un cri, qui serait celui du puma, vous glace le sang ! □

Les méfaits de l'ignorance

■ En fait, les Européens n'ont guère eu le temps de connaître la faune du Nouveau Monde : leurs haches, leurs fusils et les feux en ont eu trop tôt raison. Les pionniers ont laissé de vagues récits, des légendes trop fascinantes pour être vraies, mais crédibles à force d'être racontées. Le cas des pumas est exemplaire, et deux anecdotes illustrent bien l'attitude irrationnelle des hommes à leur égard.

Au XIXᵉ siècle, à Papinsville, une bourgade du Missouri (États-Unis), un villageois rentre un beau soir chez lui dans tous ses états. Il prétend avoir entendu un peu plus loin dans la vallée un hurlement abominable, poussé, c'est certain, par un gigantesque puma. Toute la population est alors prise de panique, et le responsable du village rassemble tous les hommes valides, leur donne des armes et, après avoir demandé aux femmes et aux enfants de rester calfeutrés chez eux, il conduit sa petite armée au bord de la rivière Osage. Quand la nuit tombe, on entend encore le monstre hurler, le cri inhumain semble venir d'un peu plus bas, des bords de l'eau. Les hommes s'installent dans une grotte en surplomb et font le guet toute la nuit. Au petit matin, le hurlement semble s'être rapproché. C'est alors qu'on voit apparaître, au détour de la rivière, le *Flora Jones*, premier navire à vapeur à remonter l'Osage ! Pour les habitants de Papinsville, qui n'en avaient jamais vu ni entendu, le sifflement de ce bateau ne pouvait être que l'appel d'un puma.

Plus récemment encore, en 1934, sur l'île de Vancouver en Colombie-Britannique (Canada), des chasseurs tuent un puma, le dépècent et trouvent dans son estomac un morceau d'étoffe bleue ainsi que deux petits boutons ornés d'une ancre. C'est clair : le puma a dévoré un marin. La

nouvelle fait le tour de l'île. On ferme les écoles, et les entreprises proposent des primes à qui abattra les bêtes féroces qui hantent la région. La presse locale s'empare du fait divers et l'amplifie. Des groupes d'hommes en armes fouillent les bois. Personne, toutefois, n'a pris la précaution de s'informer pour savoir s'il y avait un disparu. Or, peu de temps après, un marin se présente au poste de police où l'on a exposé l'étoffe et les boutons. Ces morceaux sont ceux de la vieille veste toute imprégnée d'huile de baleine dont il s'est récemment débarrassé dans une décharge. Ce n'est pas lui, mais ce vêtement, que le puma a avalé...

Pareil climat de peur explique que des primes aient été distribuées, il y a encore une trentaine d'années, à tous ceux qui éliminaient des pumas. Aujourd'hui, c'est pour protéger l'espèce que des subventions gouvernementales sont versées. □

Sanctions et indemnités

■ Qu'arrive-t-il lorsqu'un puma s'en prend aux bovins et aux moutons ? Extrêmement rare partout ailleurs, ce genre d'agression peut être, on le sait, fréquent dans le sud-ouest des États-Unis. S'il est prouvé que le félin en est bien l'auteur, et qu'il est vraiment dangereux, ou encore trop malade ou trop vieux, il peut être tout simplement abattu. En Californie, c'est le propriétaire des bêtes attaquées qui se charge de l'« exécution », avec l'aide, le plus souvent, d'un chasseur professionnel. Dans le Colorado, la tâche est confiée à un chasseur sportif, muni d'une patente et accompagné d'un guide.

Dans d'autres cas, le félin est capturé et relâché dans une zone sans troupeaux. Une excellente solution (à condition naturellement de parvenir à attraper le coupable) car elle permet soit d'effectuer le transfert du puma, soit — s'il est en trop mauvais état — de le placer dans un parc zoologique et, éventuellement, de l'utiliser pour des programmes de reproduction. En Colombie-Britannique (Canada), les pumas que l'on trouve trop près des zones habitées sont systématiquement capturés. S'ils sont en bonne forme physique, ils seront relâchés ailleurs. Mais, quand on les relâche très loin de l'endroit où ils ont été pris, à plusieurs centaines de kilomètres, il faut envisager le risque

d'une incompatibilité génétique des animaux introduits avec les populations de pumas locales. Ce serait sans doute une erreur de vouloir, par exemple, renforcer les effectifs des pumas de Floride avec des animaux provenant des montagnes Rocheuses.

Une troisième politique consiste à laisser le félin en paix, en versant des indemnités aux éleveurs dont le bétail a été touché. Comme l'agression des pumas est exceptionnelle, cette conduite n'entraîne pas trop de frais. N'oublions pas que tuer ou capturer une femelle, c'est souvent faire en sorte que ses chatons, incapables d'attaquer des cerfs — s'ils ont entre 12 et 18 mois —, se rabattent sur les moutons. □

Pendant des années, le puma a été partout chassé sans merci, jusque dans les premiers parcs nationaux nord-américains, les règlements protégeant en effet certaines espèces, tandis que d'autres étaient considérées, a priori, comme nuisibles. Il a fallu aux chercheurs des années de travail sur le terrain pour faire évoluer les mentalités. Aujourd'hui, le grand chat est respecté, voire protégé. En Californie, par exemple, on le trouve jusqu'à la périphérie des villes comme Berkeley, Hayward et Richmond. On sait désormais qu'il se tient à l'écart de l'homme. Mais on se demande toujours s'il a survécu dans l'Est, pas seulement en Floride, mais en Géorgie, en Pennsylvanie, dans l'État de New York, dans le Maine et dans le Nouveau-Brunswick, où l'on sait qu'il était présent autrefois.

Les pumas de Floride

■ En Floride, la sous-espèce *Felis concolor coryi* fait l'objet d'un programme de protection et d'un contrôle très spécifiques. Ces pumas sont les seuls qui vivent aujourd'hui à l'est du Mississippi. Les félins sont localisés en trois endroits : Big Cypress, Raccoon Point et les Everglades. L'ensemble correspond à 30 adultes, dont 11 sont actuellement équipés d'un collier émetteur. L'examen de ces derniers avant la pose du collier, ainsi que des quelques animaux trouvés morts (tués sur la route), a mis en évidence leur mauvais état général. Peut-être le milieu est-il saturé, les jeunes ne trouvant pas d'endroits pour s'installer. Chercher de nouveaux sites est donc essentiel, si l'on veut voir la population augmenter. La mortalité annuelle chez les adultes est de l'ordre de 30 % — un taux très élevé dû essentiellement au braconnage et à l'abattage des animaux au bord des routes. L'empoisonnement par le mercure est une autre cause de mortalité. En 1989, les chercheurs ont découvert un taux de mercure cent fois supérieur à la normale dans le foie d'un puma mort. Le métal absorbé en excès pourrait provenir de la nature du sol, mais, quelle que soit son origine, les conséquences en sont très graves pour les animaux, dont les effectifs sont déjà restreints. Il est toutefois possible de ramener le taux de mortalité à 10 %. Le problème a été abordé lors d'une réunion sur la reproduction des espèces rares, organisée en janvier 1989 à Naples (Floride) par l'Union internationale pour la conservation de la nature (UICN). Dans une région où le puma a toujours été considéré comme un « killing cat », un tueur, il faudrait retrouver l'esprit d'une légende cheyenne où ce beau félin fait au contraire figure de nourricier : venu chez les Indiens sous la forme d'un joli chaton allaité par une femme, il se chargea vite de leur fournir toute la viande dont ils avaient besoin. □

Les aboiements des chiens terrorisent les pumas

■ Pour étudier les pumas, il faut en capturer un certain nombre, les marquer et essayer de les suivre dans leurs déplacements. Ce qui n'est pas toujours facile. Les biologistes ont utilisé une méthode bien connue des chasseurs : celle qui consiste à exploiter la crainte que le chien inspire à ce félin. En effet, quand il a peur, le puma se réfugie en haut d'un arbre. Ainsi, tout simplement en aboyant, un caniche de 5 kg peut faire fuir de frayeur un puma de 50 kg jusque dans les branches du premier sapin venu ! Une fois sur son perchoir, le puma semble tout à fait rassuré ; on en a vu s'endormir sur leur branche, alors qu'une meute de chiens glapissait au pied du tronc.

Il suffit donc aux biologistes d'anesthésier le puma à distance avant de monter sur l'arbre pour lui attacher les pattes, puis de le descendre doucement et de le marquer. C'est ce qu'a fait le chercheur Maurice Hornocker lorsque, en 1963, il a capturé son premier puma dans le Montana. Ce fut un véritable exploit car, à l'époque, on ne connaissait pas encore les bonnes posologies des anesthésiques. Si le produit dont on imbibait la flèche lancée sur l'animal était trop fort, le puma risquait de tomber de l'arbre et de se blesser.

Du coup, Hornocker, lui, avait utilisé une dose trop faible, et, quand il voulut monter dans l'arbre, le puma était encore bien éveillé.

Le félin et le chercheur se trouvèrent ainsi de part et d'autre du tronc, à 5 mètres au-dessus du sol. Cherchant à éviter les coups de pattes du puma, Hornocker s'accrocha à la queue du félin, qui glissa. Heureusement c'était en hiver et l'animal tomba dans la neige poudreuse sans se faire trop de mal. Mais, sur sa branche, le chercheur n'était pas rassuré.

Après plusieurs essais, la dose d'anesthésique a été mise au point : elle laisse au spécialiste 90 minutes pour procéder à toute une série d'opérations. Tout d'abord, il lui faut mettre une pommade sur les yeux de l'animal, qui deviennent souvent trop secs pendant l'intervention. Ensuite, le puma doit être mesuré, pesé, examiné : on évalue sa taille, celle de sa queue, de ses pattes, de ses griffes, de son crâne ainsi que l'usure des dents, le rythme du cœur et de la respiration. Il faut aussi faire une prise de sang, récolter les parasites externes, et mentionner les blessures ou les cicatrices éventuelles. En particulier, la tête du grand chat est souvent pleine des piquants de ce porc-épic dont il est si friand. Enfin, une fois la flèche retirée et le point d'impact désinfecté, on pose un collier émetteur — dont la durée est de 3 ans — en tenant compte d'une croissance éventuelle du félin.

Ces tâches accomplies, le puma est laissé à terre et surveillé de loin (à environ 20 m). Au réveil, il lui arrive de vomir ou de verser de grosses larmes sous l'effet de l'anesthésique. Mais, en général, il supporte bien l'intervention. □

Le puma va se percher sur une branche dès qu'il se sent poursuivi par un chien. C'est peut-être efficace pour échapper à cet animal, mais l'effet est catastrophique si, derrière le chien, un chasseur l'a pris pour cible.

LE LYNX

Le lynx était déjà présent en Europe à l'époque des grandes glaciations. Il a inspiré aux hommes de l'âge de pierre des peintures et des gravures, comme en témoignent les représentations de son ancêtre dans la grotte de Lascaux. Aujourd'hui, des programmes de réintroduction tentent de lui redonner une place dans le paysage européen.

La famille des félidés s'est développée et divisée en deux grandes branches vers la fin du miocène, il y a environ 5 millions d'années. À l'une d'elles appartiennent les lynx, ces félins à queue courte, reconnaissables aux longs pinceaux qui terminent leurs oreilles.

À cette époque vivait l'ancêtre de tous les lynx, *Lynx issioderensis*. Les restes fossiles que l'on a retrouvés, notamment au Canada, permettent de dire que seules de légères différences dentaires et une tête un peu plus allongée le distinguaient des lynx actuels.

Comme chez les grands félins, la pupille de l'œil du lynx devient ronde lorsqu'elle est contractée, au contraire de celle du chat, autre petit félidé, qui devient ovale. De plus, les animaux du genre *Lynx* possèdent souvent une molaire dont sont démunis ceux du genre *Felis*. Quelques différences minimes de ce type expliquent pourquoi les chercheurs ne sont pas tous du même avis quant au genre (*Felis* ou *Lynx*) auquel appartiennent les lynx. Ces questions sont cependant déterminantes pour les responsables des opérations de sauvegarde et de réintroduction de ces animaux.

Capables de développer des caractéristiques morphologiques et comportementales spécifiques, les lynx ont réussi à coloniser des habitats très variés et à se répandre largement à travers le monde.

Aujourd'hui, en Europe, il existe, selon des études récentes, deux espèces de lynx distinctes : le lynx d'Europe, ou lynx boréal (*Lynx lynx*), et le lynx pardelle (*Lynx pardina*), qui survit dans la péninsule Ibérique et fait partie des félins les plus menacés.

Les travaux paléontologiques montreraient que le lynx d'Europe serait originaire d'Asie, alors que les ancêtres du lynx pardelle, eux, seraient en grande majorité européens. Les deux espèces auraient cependant cohabité en Europe centrale à la fin du pléistocène.

Deux autres lynx vivent actuellement en Amérique et plus particulièrement au Canada : le lynx roux (*Lynx rufus*) et le lynx canadien (*Lynx l. canadensis*).

Aujourd'hui, malgré la forte régression de l'aire de répartition du lynx d'Europe, des populations isolées subsistent grâce à des actions de préservation menées en Suisse, en Allemagne, en Autriche, en Bohême, en Italie et en France, dans les Vosges. □

En toute quiétude, les longs pinceaux de ses oreilles dressés, le lynx se consacre en ronronnant à la toilette minutieuse de son épaisse fourrure tachetée de noir qui le protège du froid. Mais cette apparence trompeuse de gros chat ne doit pas faire oublier que le lynx est souple et vif, comme un félin, et que les poils de ses pattes dissimulent des griffes rétractiles.

Un chasseur solitaire qui mange proprement

■ Le lynx part en chasse à la faveur du crépuscule et de la nuit, invisible dans la forêt grâce à son pelage tacheté. Son ouïe très fine et son extrême sensibilité à l'intensité lumineuse en font un excellent chasseur nocturne.

Sauf exception, le lynx chasse seul. Comme beaucoup de félins de ce type, il pratique l'affût. Il ne course pas ses proies, mais les attend sur leur passage habituel, parfois durant plusieurs jours, ou les approche en rampant lorsqu'il les a repérées.

Les études menées en Suisse ou en France montrent que, contrairement aux descriptions romancées, le lynx attaque rarement ses proies depuis un perchoir, un surplomb de rocher ou un arbre. Le mammalogiste Victor Cahalanne décrit ainsi l'attaque du lynx canadien, morphologiquement très proche du lynx d'Europe : « Son museau remue convulsivement, ses muscles se tendent, il rabat les oreilles en arrière ; de ses yeux jaunes, il examine la distance à franchir et suit les mouvements de sa proie. Puis, comme un ressort d'acier, il se détend et sa musculature le projette dans l'espace. »

Le lynx est un sprinter. Son cœur, relativement petit, l'empêcherait de fournir un effort durable et donc de soutenir une poursuite. Plus la distance entre le prédateur et sa proie augmente, plus le taux de réussite des attaques diminue. C'est ainsi que, d'après une étude suédoise, un lynx d'Europe réussit l'attaque d'un chevreuil dans 75 % des cas quand la proie est à 20 m, dans 50 % des cas quand elle est à 50 m, et dans 30 % des cas quand elle est à 200 m.

En Europe, le lynx chasse principalement les ongulés de taille moyenne comme les chevreuils, les chamois et, accessoirement, les mouflons. Sa ration journalière est de 1 à 2 kg de viande. Un chevreuil suffit à le nourrir pendant 8 jours, un chamois pendant 15 jours. Comme la plupart des grands carnivores, le lynx peut réduire son bol alimentaire, et même jeûner s'il ne trouve pas de proies.

Ni carnage ni gaspillage

Sauf exception, le lynx attaque les petites proies à la nuque. Les proies de sa taille sont saisies à la gorge. Le sectionnement de la trachée artère et des vaisseaux sanguins occasionne une hémorragie interne et entraîne la mort rapide de la victime.

Le lynx dévore en premier lieu les parties charnues, comme les gigues ou les épaules. Il ne casse que très rarement les os des membres. Lorsque sa proie est déjà bien entamée, il peut en ronger les côtes. Il abandonne toujours les intestins et la panse à d'autres prédateurs. Il dépèce proprement la peau, sans la lacérer. Même lorsque l'animal est pratiquement consommé, tous les restes sont attachés en un seul morceau : tête, pattes et peau ne sont pas séparés du corps. Des morceaux dispersés indiquent que d'autres prédateurs sont venus se nourrir après lui ; sinon, la carcasse et les viscères sont intacts.

Afin d'être sûr de soustraire sa proie aux charognards et de pouvoir la manger en plusieurs fois, le lynx en dissimule soigneusement les restes. Il les recouvre d'herbes, de terre ou de neige. Il lui arrive de les déplacer chaque jour.

Contrairement à ces observations, les proies trouvées lors d'une étude menée en Suisse n'ont pas été toutes totalement consommées par le félin. Ce phénomène difficilement explicable pourrait être lié, selon les chercheurs suisses, à un sentiment d'insécurité. Le lynx prélèverait une autre proie plutôt que de risquer d'être dérangé en revenant à la charogne. Un tel comportement n'a été que rarement observé en France. □

LES PROIES DU LYNX

Chevreuils et chamois sont les proies préférées du lynx en Europe, comme le montre l'analyse du contenu stomacal d'animaux tués ou celle d'excréments de lynx retrouvés sur le terrain. Ces cervidés constituaient 64 % des proies du lynx, selon une étude tchécoslovaque faite sur 88 estomacs. Les rongeurs (campagnols...) représentaient 20 %, les faisans 4 %, les autres oiseaux 5 %, les insectes 4,6 % et d'autres carnivores 2,4 %.

Une autre étude, faite en Suisse sur 195 éléments (excréments de lynx et restes de proies) retrouvés sur le terrain, montre que 77 % des proies étaient des chevreuils, 18 % des chamois, 3,5 % des lièvres, 1 % des petits rongeurs et 0,5 % des oiseaux.

Le lynx, comme tous les félidés, est un équilibriste. Tous les chemins lui conviennent et un tronc d'arbre étroit ou une pente même abrupte ne le rebutent pas.

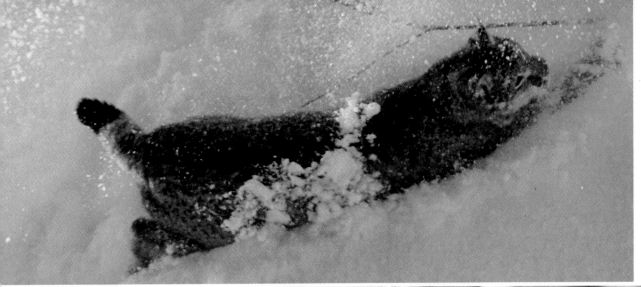

Le lynx en chasse attrape tout ce qui passe à sa portée. D'une rapide détente, il bondit sur sa proie, qu'il tue toujours au niveau du cou. Dans nos pays, où les lièvres de forêt sont rares ou du moins peu nombreux, il attaque les grands herbivores comme les chevreuils, les chamois ou les mouflons. Il lui faut manger de 1 à 2 kg de viande chaque jour pour subsister.

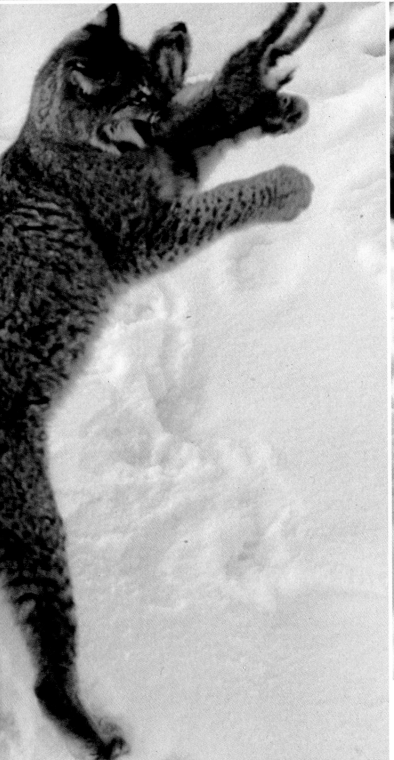

LA PREMIÈRE RENCONTRE

Chez le lynx, le comportement sexuel n'est pas uniquement limité à l'accouplement, et il existe une période préliminaire pendant laquelle mâle et femelle s'accoutument l'un à l'autre. L'ensemble des gestes et attitudes des deux animaux pendant cette période leur permet de se reconnaître et de refouler l'agressivité qu'ils manifestent en général vis-à-vis des individus de leur espèce. À la première rencontre, mâle et femelle se font face et se saluent par des frottements de tête et des flairements de nez mutuels (A). Puis l'un et l'autre flairent la région anale de leur partenaire (B). Ce contrôle olfactif est accompagné de reniflements très expressifs. Durant cette période, les deux animaux recherchent en permanence le contact physique, se frottant l'un à l'autre et dormant côte à côte. L'ensemble de ces manifestations est considéré comme un préambule amical et affectueux qui assure la synchronisation des deux animaux.

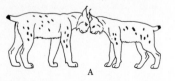

A

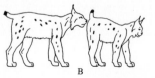

B

Sans domicile fixe, le lynx s'autorise de brèves rencontres

■ Plusieurs kilomètres séparent parfois les lynx, qui vivent éloignés les uns des autres durant toute l'année, à l'exception de brèves périodes d'accouplement.

Le domaine vital d'un individu, c'est-à-dire la surface qui lui est nécessaire pour assurer les fonctions de son existence, est généralement très étendu. Un vieux mâle, observé en 1960 par une équipe suédoise qui suivit les voies du lynx dans la neige, occupait 30 000 hectares. Dans certaines régions, les lynx fréquentent des surfaces encore plus importantes, pouvant atteindre 60 000 hectares pour les mâles. Mais la surface moyenne d'un territoire de lynx en Europe varie de 15 000 à 25 000 hectares.

À titre d'exemple, des biologistes suisses suivirent une femelle durant 307 jours et un mâle durant 217 jours, dans le même milieu. Ils ont calculé que le territoire de la femelle couvrait 28 500 hectares, celui du mâle 46 200 hectares.

Les surfaces très faibles (inférieures à 5 000 hectares) attribuées autrefois au lynx s'expliquent par le mode d'utilisation de son espace. Le félin se déplace de façon irrégulière. Très peu mobile pendant plusieurs jours, il peut aussi parcourir en un jour jusqu'à 15 km à vol d'oiseau. Il exploite ainsi son domaine vital par zones successives, dont les surfaces varient de 2 000 à 7 000 hectares. La durée de fréquentation de chacune des zones n'excède pas quelques mois. Ce sont sans doute ces espaces restreints que les observateurs d'autrefois prenaient en considération.

Cette exploitation par zones du domaine vital serait à attribuer à une stratégie alimentaire particulière. La vigilance des proies s'accentue lorsque le prédateur stationne trop longtemps dans une zone précise et l'oblige à se déplacer régulièrement à plusieurs kilomètres. En l'absence du félin, les chevreuils perdraient de leur vigilance. Lors de son retour, le prédateur se trouve en présence de proies plus faciles à capturer. Dans le cas du lynx, cette explication n'est encore qu'une hypothèse.

Même s'il exploite son domaine par zones, ne repassant que tous les cinq ou six mois au même endroit, le lynx défend tout particulièrement une partie de territoire d'environ 100 km², interdit de chasse à ses congénères. Cette défense est surtout le fait des femelles, qui s'assurent ainsi une zone d'alimentation exclusive durant la période de reproduction. Selon des estimations suisses, la densité des populations de lynx ne peut donc excéder un individu par 100 km². Le félin a impérativement besoin de cette surface minimale pour chasser.

L'époque des rencontres

Malgré la vaste étendue de leur territoire et leur mode de vie solitaire, les lynx se rencontrent chaque année lorsque la période de reproduction approche. Dès le mois de décembre, il semble que mâle et femelle se retrouvent à des endroits précis du territoire, appelés aussi places de rut. C'est l'époque où ils s'appellent mutuellement. Leurs cris stridents ressemblent à des rugissements étouffés et sont audibles à plusieurs centaines de mètres.

Dès qu'ils s'aperçoivent, ils se manifestent un intérêt mutuel, se flairent et se saluent. Le cérémonial de salutations est identique, même si les animaux se découvrent pour la première fois.

Durant cette période, les marquages urinaires et les marquages odorants, effectués grâce aux sécrétions des glandes anales, sont plus nombreux. La femelle se frotte aux hanches, au cou et à la tête du mâle. Les animaux se nettoient mutuellement.

La femelle n'est réceptive que pendant deux jours. Lorsque cette période approche, les mâles deviennent nerveux et changent de comportement. Ils ne se nourrissent plus et suivent en permanence la femelle qui se réfugie dans des endroits surélevés. Tout mouvement donne alors lieu à des essais de copulation. Lorsque celle-ci se déclenche, le mâle oblige la femelle à se coucher et la maintient en la mordant à la nuque, arrachant parfois les poils qui ne repoussent plus. L'accouplement dure longtemps. Puis les animaux se séparent jusqu'à la période de rut suivante. □

Au cœur de l'immense forêt, le lynx est en perpétuelle errance et toujours solitaire, excepté lors du rut. Des comportements de jeu réapparaissent souvent entre adultes durant cette période.

Même pendant leur sommeil, mâle et femelle recherchent le contact physique, pendant les quelques jours où ils vivent ensemble. Seuls les jeunes en cours d'émancipation acceptent parfois aussi la compagnie d'un de leurs congénères.

Pendant un an, des petits trop fragiles pour se défendre seuls

■ Après 70 jours de gestation, la femelle donne naissance à deux petits en général, parfois à trois ou quatre. Pour mettre bas, elle choisit un abri naturel — anfractuosité de rocher ou arbre creux — dans la zone la plus réservée de son territoire, là où elle est assurée de trouver facilement des proies pour nourrir ses petits.

Les nouveau-nés pèsent de 200 à 300 g et, comme beaucoup de petits félidés, ils sont aveugles durant les premiers jours de leur vie. Leur pelage, déjà tacheté, est alors de couleur terre. Ils possèdent dès ce moment-là de petits pinceaux auriculaires. Leur mère les allaite à l'intérieur de la tanière

et les lèche souvent. Pendant les premières semaines de l'allaitement, elle ne sort pas pour chasser et jeûne presque totalement.

Lorsqu'elle se déplace, elle porte ses petits un à un dans sa gueule, à la façon des chats. Ce n'est que deux à trois mois après leur naissance que les petits sont réellement aptes à la suivre.

Dès qu'ils sont capables de marcher, ils commencent à sortir à l'aventure. Très jeunes, ils mettent à profit l'espace qui entoure la tanière pour se bousculer et chahuter entre eux. C'est par le jeu qu'ils apprennent les premiers réflexes des grands chasseurs qu'ils deviendront plus tard.

Dès le deuxième mois, la femelle sort à la recherche de proies pour alimenter ses petits en nourriture carnée et, peu à peu, ceux-ci cessent de téter. Cette forme de sevrage est la même que chez beaucoup de carnivores.

Très tôt, les lynx aiment mordiller les oreilles des chevreuils tués par leur mère, ou à en consommer les bajoues ; ils sont encore trop jeunes pour lui en disputer les meilleurs morceaux.

La croissance relativement lente des petits est fonction de la nourriture que la mère peut leur apporter. À l'âge de six mois, ils sont de toute façon encore très petits et ne dépassent pas la taille d'un cocker. Durant une année, ils restent dépendants de leur mère qui les protège et chasse pour eux.

Pendant les premiers mois de leur vie, les jeunes lynx sont des proies faciles pour les loups, les aigles et les renards, et le danger que ces derniers représentent pour les chatons est réel. C'est l'âge auquel les petits sont le plus fragiles et le plus menacés. La mortalité infantile est très élevée : plus de 50 % des naissances.

Lorsque, au printemps suivant celui de leur naissance, les jeunes lynx prennent leur indépendance, nombre d'entre eux trouvent difficilement un territoire libre, et beaucoup meurent. □

Blottis contre leur mère, les petits bénéficient de la chaleur nécessaire au cours des premières semaines. Elle ne les quitte pas, même pour chasser.

La mère effectue la toilette de ses petits, assurant ainsi, chaque jour, leur propreté. Ses grands coups de langue sur le ventre des nouveau-nés durant les premières semaines auraient un rôle autre que celui de simple entretien du pelage. Ils feraient un peu office de massage et faciliteraient la digestion des chatons.

Les lynx n'aiment pas beaucoup l'eau, sauf lorsqu'il s'agit de se désaltérer. En cas de nécessité, ils n'hésitent cependant pas à passer un cours d'eau. Avec l'aide de sa mère, ce jeune lynx avance avec prudence.

Dès que ses yeux sont ouverts, le jeune lynx explore les alentours immédiats de sa tanière. Sans la surveillance de sa mère, il devient plus vulnérable aux prédateurs.

Double page suivante : Vif comme tous les félins, le lynx peut bondir après une proie.

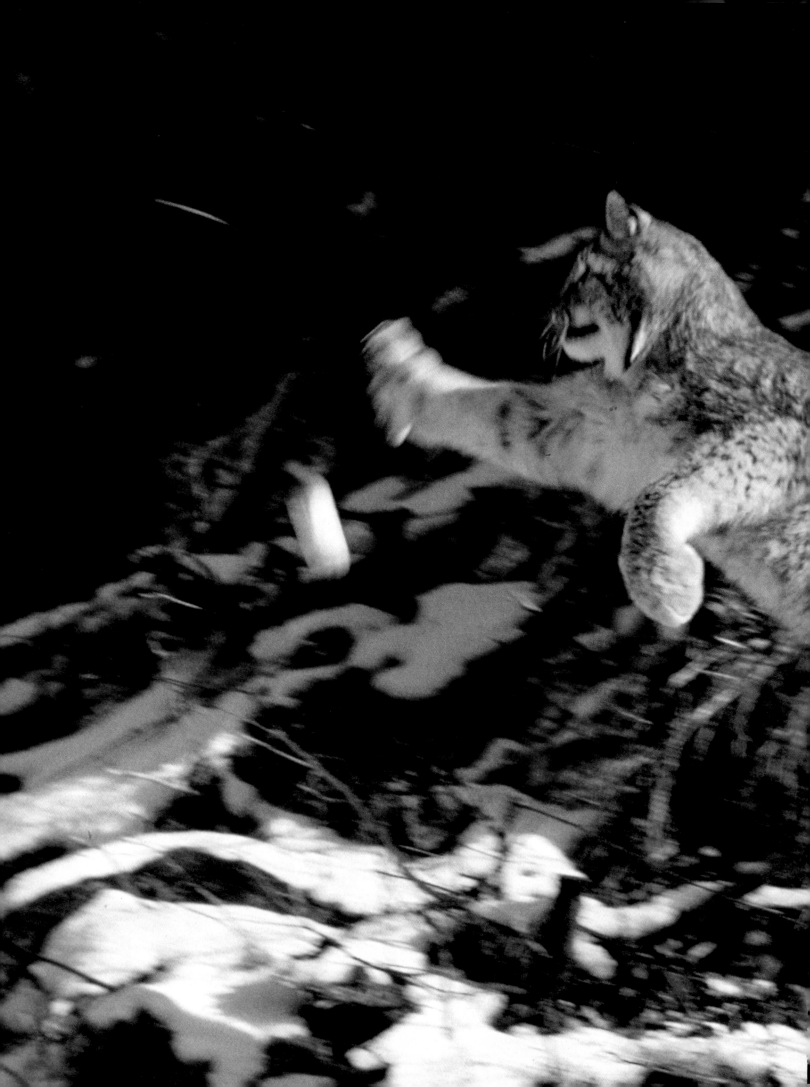

Lynx
Lynx lynx

■ Le lynx d'Europe est, avec le loup et l'ours, l'un des trois grands prédateurs européens et le seul grand félin vivant à l'état sauvage sur ce continent.

C'est un animal haut sur pattes, à la fourrure épaisse, et muni d'une queue très courte terminée par une touffe de poils noirs.

Le crâne est court et arrondi, la face est encadrée de favoris et des pinceaux de 3 à 4 cm, caractéristiques de l'espèce, se dressent à l'extrême pointe des oreilles.

Le lynx est un petit félin. Cette espèce se distingue des grands félins par un appareil hyoïdien complètement ossifié : le lynx ne peut donc pas rugir, mais il peut ronronner en inspirant et en expirant, alors que les grands félins ne peuvent le faire qu'en expirant.

Sa fourrure tachetée de noir lui confère un mimétisme impressionnant. Quelle que soit la saison, il est très difficile de l'apercevoir. →

	LYNX
Nom (genre, espèce) :	*Lynx lynx*
Famille :	Félidés
Ordre :	Carnivores
Classe :	Mammifères
Identification :	Queue courte, pelage tacheté de noir, pinceaux auriculaires
Taille :	Longueur du corps : de 90 à 130 cm ; longueur de queue : de 15 à 20 cm ; hauteur au garrot : de 55 à 75 cm
Poids :	De 18 à 25 kg (France) ; jusqu'à 30 kg (Roumanie)
Répartition :	Amérique du Nord, Asie ; faibles effectifs en Autriche, Suisse, France, Italie, U.R.S.S., Turquie, Europe centrale et pays scandinaves
Habitat :	Tous milieux forestiers de plaine et de montagne abondant en proies
Régime alimentaire :	Carnivore strict
Structure sociale :	Solitaire, excepté pendant la saison des amours
Maturité sexuelle :	Femelles : 21 mois ; mâles : 33 mois
Saison de reproduction :	Généralement au printemps
Durée de gestation :	De 2 mois à 2,5 mois, 72 jours habituellement
Nombre de jeunes par portée :	De 1 à 4
Poids à la naissance :	De 200 à 300 g
Longévité :	De 10 à 20 ans
Effectifs :	De 3 000 à 5 000 individus (U.R.S.S. non comprise) ; paraissent se stabiliser, encore menacés
Statut et protection :	Annexe II de la Convention de Washington et, pour l'Europe, en Annexe III de la Convention de Berne : la chasse est autorisée dans les pays où les effectifs le permettent
Remarques :	Fait l'objet de différents programmes de réintroduction et d'une surveillance accrue de ses effectifs

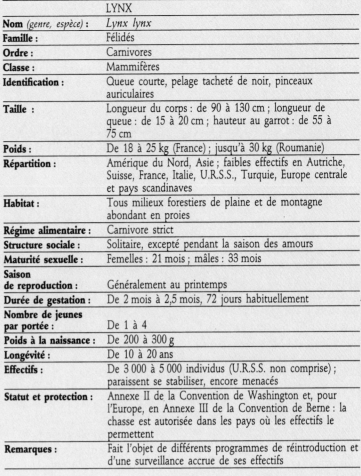

Pinceaux.
Longs de 3 à 4 cm,
chez le lynx adulte, les pinceaux auriculaires s'allongent et épaississent avec l'âge.

Yeux.
Ils brillent la nuit et sont conçus pour voir dans l'obscurité.

Pelage.
Jaune brun ou ocre, il est moucheté de noir.

→ En été, le pelage du dos devient roux, et, en hiver, il vire au beige crème. Le pelage du ventre est blanc uni, été comme hiver.

Le dimorphisme sexuel est peu important et ne concerne que le poids et la taille ; les mâles sont légèrement plus grands et plus lourds (de 1 ou 2 kg) que les femelles.

Animal solitaire vivant sur de larges espaces, le lynx est un chasseur nocturne qui n'a pas de gîte fixe. Durant la journée il profite du soleil sur des rochers en surplomb, ou s'abrite du vent et de la pluie sous le couvert des arbres.

Exclusivement carnivore, il ne se nourrit, sauf exception, que de proies qu'il a capturées lui-même. Son régime alimentaire inclut des cervidés (chevreuils, chamois...), des petits rongeurs, mais aussi des insectes et des oiseaux.

Capable de se cantonner pendant plusieurs jours sur quelques hectares, il peut aussi parcourir plus de 10 km sans s'arrêter.

Si le biotope et la nourriture lui conviennent, la capacité de colonisation de l'espèce est bonne. En Suisse, où l'espèce avait disparu depuis deux siècles, 15 individus ont été lâchés entre 1971 et 1976 et, actuellement, la population de lynx y atteint une centaine d'individus.   □

SOUS-ESPÈCES

Les avis scientifiques diffèrent en ce qui concerne les sous-espèces du lynx. L'inventaire qui suit, établi selon Klaus Robin, est donné à titre indicatif.

Lynx d'Europe, *Lynx lynx lynx* : coloration variable, taille moyenne, population dispersée.

Lynx du Caucase, *Lynx lynx dinniki* ou *Lynx lynx orientalis* : coloration roussâtre, avec taches et bandes contrastées, petite taille. Réparti dans le Caucase, le Transcaucase, le nord de l'Iran et la Turquie.

Lynx du Tibet, *Lynx lynx isabellina* : coloration claire, le plus souvent sans taches, taille moyenne. Présent en montagne : Turkestan, est de l'Afghanistan, nord du Pakistan et des Indes, Himalaya et Tibet.

Lynx de Sibérie, *Lynx lynx wrangeli* : coloration claire parfois argentée, le plus souvent sans taches. C'est la forme la plus grande de l'espèce. Réparti de l'est du bassin de l'Ienisseï jusqu'à la mer de Béring.

Lynx de l'Amour, *Lynx lynx stroganovi* ou *Lynx lynx neglectus* : coloration claire aux taches peu visibles, de taille moyenne. Présent dans la région des fleuves Oussouri et Amour, en Mandchourie et en Corée.

Lynx du Baïkal, *Lynx lynx kozlovi* : coloration très variable, taille moyenne. Sud de la Sibérie.

Lynx du Canada, *Lynx lynx canadensis* : coloration grise sans taches, de petite taille. Réparti au Canada, dans le nord des États-Unis, en Alaska, à l'exception de l'île de Terre-Neuve.

Lynx de Terre-Neuve, *Lynx lynx subsolanus* : présent exclusivement à Terre-Neuve.

Signes particuliers

Nez et gueule

Chez les petits félins la pilosité n'atteint pas le bord antérieur du nez et laisse subsister une étroite bande de peau nue. À l'inverse des félidés, le lynx est dépourvu de la première prémolaire supérieure. Mais, comme les félidés, il a 1 canine pointue par demi-mâchoire, qui sert à tuer, et 3 incisives, qui arrachent les morceaux de chair. Sa formule dentaire par demi-mâchoire est : I 3/3, C 1/1, PM 2/2, M 1/1.

Pelage

En été, le pelage du lynx adulte varie du gris jaunâtre au roux cannelle. En hiver, il tire sur le gris. Il est moucheté : la dimension et le nombre des taches, généralement foncées, sont très différents selon les individus et on parlait autrefois d'un lynx-chat très tacheté et d'un lynx-loup au pelage uniforme. L'intensité du mouchetage est très variable selon les individus.

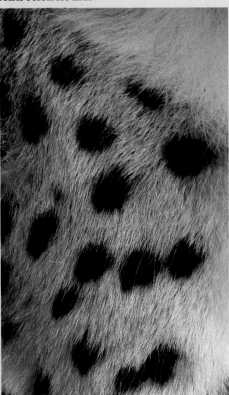

Œil

L'iris oscille du jaune brun au jaune ocre. L'œil du lynx brille la nuit : très sensible à la lumière, il est composé d'un tissu particulier, *le tapetum lucidum*, situé dans la couche choroïdienne et constitué de plaquettes argentées et de cellules pigmentées (mélanoblastes) qui migrent le long des plaquettes quand l'éclairement est normal. Quand ce dernier diminue, les cellules visuelles sont stimulées une seconde fois après réflexion sur la rétine.

Queue

Très courte, la queue du lynx ne dépasse pas 18 cm et se termine par une touffe de poils noirs. Lorsque le lynx est excité, il dresse la queue.

Pattes

Le lynx marche sur les 4 doigts de chaque patte, terminés par des griffes rétractiles acérées. Les pattes sont larges et leur surface portante est telle que le lynx semble marcher sur des raquettes. Entre les pelotes digitales et la pelote plantaire, les poils sont très fournis.

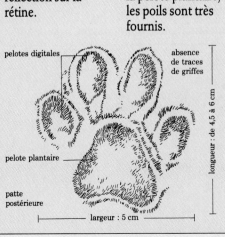

pelotes digitales

absence de traces de griffes

longueur : de 4,5 à 6 cm

pelote plantaire

patte postérieure

largeur : 5 cm

Les autres lynx

■ Les lynx ont tous en commun les pinceaux auriculaires et la queue courte qui caractérisent aussi le lynx d'Europe. À la différence de celui-ci, les deux autres lynx que sont celui d'Amérique — le lynx roux — et l'autre espèce européenne — le lynx pardelle — chassent de préférence les lagomorphes ; les cervidés venant en second dans leur alimentation. Le caracal, une autre espèce, a longtemps été considéré comme faisant partie des lynx auxquels il ressemble morphologiquement beaucoup. Il vit surtout en Afrique.

LYNX PARDELLE

Lynx pardina
Long de 80 à 90 cm, il pèse de 12 à 13 kg et sa queue mesure de 12 à 13 cm. Les mâles sont parfois plus grands et plus lourds que les femelles. Le lynx pardelle ressemble étrangement au lynx d'Europe, au point qu'il a souvent été considéré comme une sous-espèce de celui-ci. Plus petit que le lynx d'Europe, son pelage est plus tacheté, les marques noires étant bien marquées. Les favoris de la tête sont plus développés que chez le lynx d'Europe.

Alimentation : principalement des lagomorphes (lièvres...). Dans une étude faites sur 1 535 éléments récoltés par M. Delibes sur le terrain dans le parc du Coto Doñana, en Espagne, des restes de lapins y figuraient 1 358 fois, des restes de canards 272 fois, puis, à une fréquence moindre, des restes de cerfs, de daims, de rongeurs (souris, campagnols...), de perdrix rouges et d'autres espèces d'oiseaux.
Les cervidés n'interviennent dans l'alimentation que lorsque les populations de lapins sont réduites, c'est-à-dire d'octobre à février. Cette période est celle du rut pour les daims, et leurs faons, livrés à eux-mêmes, sont alors très vulnérables et faciles à attraper pour le lynx. Si lapins et cervidés sont insuffisants sur le territoire du lynx, celui-ci se déplace sur de grandes distances et peut alors attaquer des chèvres domestiques.
Le domaine vital du lynx pardelle, 2 500 ha en moyenne, est plus petit que celui du lynx d'Europe. L'espèce est territoriale, protégeant soigneusement ses zones de chasse.
Habitat, répartition : bois et landes de type méditerranéen ; uniquement en Espagne et au Portugal en 6 petites populations totalement isolées les unes des autres.

Effectifs : moins de 1 000 individus. C'est sans doute l'un des félins tachetés les plus menacés au monde. Sa raréfaction progressive est due aux accidents routiers, au braconnage, et à la myxomatose qui a ravagé, à partir de 1958, les populations de lapins de son habitat. L'espèce est aujourd'hui totalement protégée sur l'ensemble du territoire de la péninsule Ibérique.

LYNX ROUX

Lynx rufus
Le plus petit de tous les lynx. Long de 70 à 90 cm, il pèse de 6 à 15 kg et sa queue mesure de 12 à 16 cm. Les mâles sont légèrement plus lourds que les femelles.
Le pelage, de jaune-brun à roux-brun, est tacheté. Le dos des oreilles est noir avec un point central blanc.
Le lynx roux vit en solitaire.

Alimentation : carnivore strict, il consomme entre 400 et 800 g de chair par jour, principalement des rongeurs, des écureuils et des lièvres, mais aussi des ongulés. Dans le sud de son aire de répartition, il se nourrit toute l'année de lapins « de Floride », *Sylvilagus floridanus,* et de rats, *Sygmodon hispisdus.* En Caroline du Sud, il consommait principalement des rats jusqu'en 1969.

Depuis cette date, les populations de cerfs à queue blanche ont augmenté dans la région et les restes de cette espèce d'ongulés sont fréquemment identifiés lors d'analyses d'excréments de lynx, ce qui prouve la capacité du lynx roux à s'adapter à un nouveau mode de chasse et à un changement d'alimentation.
La question de savoir si le lynx roux est capable de tuer de telles proies reste cependant entière. Des auteurs pensent en effet que cette consommation se réalise principalement à partir de charogne, et l'importance des ongulés dans le régime alimentaire du lynx roux est très controversée.
Pour certains, le lynx ne consomme des ongulés, et principalement des faons, qu'en hiver ; pour d'autres, il ne choisit ce type d'alimentation qu'en été.
En Arkansas, les écureuils prédominent dans son régime. En fait, ce sont les

Lynx roux (Lynx rufus)

Lynx pardelle (Lynx pardina)

proies les plus accessibles — quel qu'en soit le type — qui constituent la nourriture et qui règlent les effectifs des populations de lynx roux. Une nourriture abondante permet en effet une meilleure survie des jeunes individus.

Son domaine vital peut atteindre 20 000 ha, comme pour le lynx d'Europe, mais la moyenne enregistrée paraît en général inférieure à 7 000 ha.

La femelle, comme chez le lynx d'Europe, n'accepte que temporairement la présence du mâle sur son domaine et défend son territoire vis-à-vis des autres femelles.

La saison de reproduction a lieu de février à avril. Le rut et l'accouplement se déroulent en général près de zones rocheuses. Deux à quatre petits naissent après environ 62 jours de gestation. Ils pèsent entre 100 et 300 g.

Habitat, répartition : il vit surtout dans la partie sud et dans le centre de l'Amérique du Nord. Son aire de répartition paraît cependant s'étendre actuellement vers le Canada. Tous les types d'habitat qu'il rencontre lui conviennent : marais, déserts, montagnes, forêts, tourbières, à l'exception des régions à caractère agricole trop intensif ou trop peuplées.

La vente de sa fourrure est réglementée par la Convention de Washington. L'exploitation de l'espèce est interdite en période de reproduction et des restrictions existent dans les systèmes de capture autorisés. L'espèce ne paraît pas en danger, mais les effectifs sont inconnus.

LE LYNX CARACAL

Le lynx caracal ne doit plus être rattaché au genre *Lynx* comme l'a montré une étude immunologique récente réalisée en Amérique par O'Brien, un grand spécialiste des félins. Son nom latin *Caracal caracal* vient du mot turc « karakal » et signifie oreilles noires. En Afrique du Nord, il est aussi appelé « lynx de Barbarie ».

Le caracal montre cependant des caractéristiques bien semblables à celles du lynx européen, notamment une queue relativement courte, bien que plus longue que celle de ce dernier, et des pinceaux auriculaires. Sa fourrure n'est jamais tachetée. Long de 62 à 82 cm, il pèse entre 8 et 14 kg et peut vivre jusqu'à 17 ans en captivité. Le mâle et la femelle sont presque identiques.

C'est un animal sédentaire. La taille de son domaine vital varie probablement avec la densité de ses proies : tous les mammifères, de la souris au kob des roseaux, et tous les oiseaux jusqu'à la grande outarde. Il est peut-être ainsi plus généraliste que les autres lynx. Il bondit pour attraper les oiseaux.

Dans le clan des félins de taille moyenne, son agilité en fait un chasseur particulièrement redoutable. Jadis, les noblesses indienne et arabe faisaient dresser le caracal pour la chasse aux petites antilopes, gazelles, lièvres et oiseaux. Les propriétaires allaient jusqu'à parier sur les chances de réussite de tel ou tel sujet, le vainqueur étant jugé au nombre d'oiseaux qu'il tuait au cours d'une attaque (le total s'élevait parfois à une douzaine par félin...).

Animal de pays chauds, le caracal ne semble pas avoir de saison de reproduction bien définie, du moins dans la zone équatoriale de son aire de distribution. En Afrique du Sud, la période de reproduction se situerait plutôt en juillet et en août. La femelle met bas 2 ou 3 petits, dont elle s'occupe durant 1 an. Sa tanière est souvent un ancien terrier ou une crevasse entre des rochers.

Le caracal habite les vastes espaces dégagés africains : bois clairsemés d'acacias et brousse d'épineux de la ceinture de savanes qui limite au nord les grandes forêts pluviales ; toutes les savanes de l'Est et les déserts du Sud. Quelques caracals subsistent en Afrique du Nord et dans une partie du Moyen-Orient, par exemple dans les dunes du centre et du sud de l'Iran. En Inde, il n'en reste plus qu'un très petit nombre.

Effectifs : on ne connaît pas les effectifs actuels des populations de caracals. Malgré le commerce de sa fourrure (6 392 peaux exportées entre 1980 et 1983, surtout à partir de l'Afrique du Sud et de la Namibie), l'espèce ne paraît pas en danger.

Lynx caracal (Caracal caracal)

Milieu naturel et écologie

■ Initialement présent dans toute l'Europe, le lynx avait pratiquement disparu. Grâce aux mesures de protection et aux diverses actions de réintroduction menées depuis une vingtaine d'années, grâce aussi à la politique de reforestation, le lynx vit de nouveau dans plusieurs pays d'Europe.

En France, on trouve aujourd'hui le lynx d'Europe dans les Vosges (où les lâchers officiels ont débuté en 1983), dans le Jura (colonisé à partir de lâchers officiels et clandestins effectués en Suisse depuis 1970), dans le nord des Alpes (colonisé à partir de lâchers officiels suisses dès 1970), et, très partiellement, dans les Pyrénées.

Une enquête récente menée par le Conseil de l'Europe a permis d'estimer la population européenne (U.R.S.S. non comprise) à un total de 3 000 à 5 000 individus seulement, alors que l'ensemble des massifs forestiers européens serait à même d'accueillir cette espèce.

Répartis en petits nombres dans les différents pays, les lynx d'Europe n'ont aucune possibilité de rencontre. Les biologistes pensent qu'un danger de perte de variabilité génétique pèse sur eux. Cette variabilité protège l'espèce de la dégénérescence et sa perte pourrait entraîner à terme une plus grande sensibilité des lynx aux maladies et les rendre plus vulnérables aux modifications écologiques. C'est pourquoi certains pays comme l'Allemagne tentent actuellement de réintroduire ces animaux dans des zones comme les Alpes bavaroises, afin de favoriser des échanges entre les lynx de Yougoslavie et de Tchécoslovaquie et ceux de Suisse et de France.

Les relations lynx-ongulés

Les descriptions des relations entre le lynx et ses proies concernent essentiellement les rapports lynx-lagomorphes (lièvres...). Ces études ont été réalisées soit en Espagne avec le lynx pardelle, soit au Canada avec le lynx canadien. Dans les deux cas, les ongulés n'interviennent qu'en tant que proies de remplacement, lorsque les populations de lagomorphes atteignent cycliquement leur densité minimale.

Le prédateur qu'est le lynx ne limite en aucune façon les densités maximales atteintes par ces populations de petits herbivores qui se reproduisent rapidement et en grand nombre. En revanche, le nombre de lynx est lui-même limité par la densité plus ou moins importante de ses proies.

Les résultats de ces recherches sont difficilement transposables dans notre système européen, où les ongulés, et notamment le chevreuil, constituent les proies principales du lynx. Une étude a été menée récemment dans le massif vosgien et a permis de comparer répartition, abondance, structure, état sanitaire et condition physique d'une population de chevreuils exploitée par le lynx avec le régime alimentaire du prédateur, en tenant compte du sexe, de l'âge, de la taille et de la condition physique de chaque chevreuil consommé, ainsi que du lieu de prélèvement. Selon cette étude, un lynx qui occupe un domaine de 20 000 hectares, dans lequel la densité de chevreuils est estimée à 6 individus par 100 hectares (soit environ 1 200 chevreuils), en prélève de 3 à 6 %, c'est-à-dire entre 36 et 72 sujets par an ; alors que le prélèvement annuel par la chasse concerne jusqu'à 30 % des effectifs, soit 360 animaux, et que la mortalité naturelle atteint en moyenne 10 %. Cette étude prouverait que les trois facteurs de mortalité, chasse par l'homme, prédation par le lynx et mort naturelle, ne représentent pas un pourcentage supérieur au taux d'accroissement annuel moyen de la population de chevreuils.

Cette étude semble également démontrer que le lynx s'attaque à l'animal qu'il a le plus de chance de rencontrer. En effet, lorsque la population des proies n'a pas un sex-ratio équilibré, c'est-à-dire lorsqu'un sexe est plus abondant que l'autre, le lynx a tendance à choisir sa proie dans la catégorie

Le mimétisme du lynx dans son milieu naturel est remarquable. Son pelage tacheté le rend presque invisible parmi les feuillages.

L'aire de répartition du lynx. On le rencontre aujourd'hui au nord (Suède, Norvège et Finlande), en Europe centrale (Pologne, Tchécoslovaquie, Roumanie, Autriche) et à l'ouest (Allemagne, Suisse et France). Dans ces deux derniers pays, il a été réintroduit peu à peu depuis 1970. À son tour, l'Allemagne entreprend un repeuplement dans ses massifs forestiers. Mais, les populations de lynx, très éparses, se rencontrent peu et risquent de dégénérer. Dans les Vosges, les chercheurs de l'Office national de la chasse sont aidés par les « gestionnaires » de terrain, les forestiers et les chasseurs.

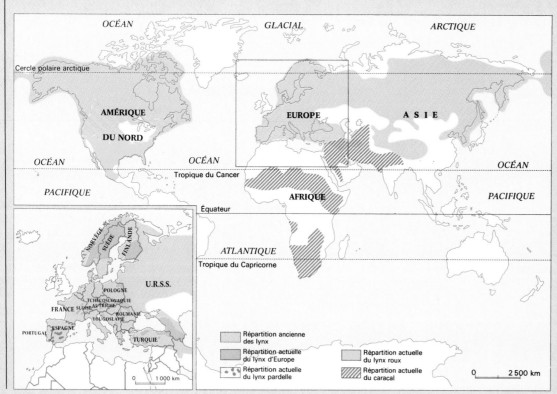

OCÉAN GLACIAL ARCTIQUE

Cercle polaire arctique

AMÉRIQUE DU NORD

EUROPE

ASIE

OCÉAN

OCÉAN

OCÉAN

Tropique du Cancer

PACIFIQUE

AFRIQUE

PACIFIQUE

Équateur

NORVÈGE SUÈDE FINLANDE

U.R.S.S.

ATLANTIQUE

Tropique du Capricorne

POLOGNE
TCHÉCOSLOVAQUIE
FRANCE SUISSE AUTRICHE
ROUMANIE
YOUGOSLAVIE
ESPAGNE
PORTUGAL
TURQUIE

0   1 000 km

Répartition ancienne des lynx

Répartition actuelle du lynx d'Europe

Répartition actuelle du lynx pardelle

Répartition actuelle du lynx roux

Répartition actuelle du caracal

0   2 500 km

la plus abondante. Il consomme ainsi plus de chevrettes que de mâles. Enfin, le lynx capture de préférence des animaux très âgés, proies sans doute plus faciles à attraper pour lui, mais que l'homme rencontre rarement car elles sont prudentes.

Les animaux tués par le lynx dans ce massif sont, sauf exception, en bonne condition physique. D'après l'étude des tableaux de chasse, la population des proies fait preuve, dans son ensemble, d'un bon état sanitaire, ce qui explique sans doute ce résultat.

En Suisse, la quantité de chevreuils tués par le lynx est supérieure. Elle atteint de 6 à 9 % de la population des proies, ce qui correspond à un nombre de 60 à 80 chevreuils par an et par lynx. Cela est dû sans doute au fait que les chevreuils ne sont pas toujours consommés en entier.

En Suède, l'abondance de lynx semble dépendre du chevreuil. L'absence de cet ongulé dans certaines zones paraît limiter l'ex-pansion du félin, qui ne peut pas se rabattre sur d'autres proies.

Par ailleurs, le lynx prélève davantage de jeunes que d'adultes en Suède, et davantage de femelles que de mâles dans l'est de l'Europe. En Suisse, il ne tue presque pas d'animaux âgés, contrairement à ce qui se passe dans le massif vosgien.

Enfin, le lynx peut avoir une influence sur l'état sanitaire des populations d'animaux qu'il chasse. Une enquête tchécoslovaque établit que 82 % des cervidés tués dans les Carpates sont des animaux en très mauvaise condition physique, principalement des faons.

Toutes ces études montrent qu'aucune règle générale ne peut être avancée en ce qui concerne l'effet de prédation du lynx sur une population d'ongulés. La règle ne pourra être définie que pour un milieu et une situation donnés. De plus, certains effets de prédation du lynx resteront toujours difficilement quantifiables. Il s'agit en particulier de l'effet positif de dispersion des individus et donc du brassage génétique provoqué par le passage du lynx au sein des populations de proies.

Le lynx et les petits carnivores

Le lynx capture également des renards, des chats harets et des chiens errants susceptibles de véhiculer la rage. Il pourrait ainsi être un facteur de ralentissement dans la progression de cette maladie. Dans un canton suisse, Lienert a constaté une forte réduction du nombre de chats domestiques hors des localités, après la réapparition d'une population « normale » de lynx. Or, la rage sylvatique n'avait pas encore atteint cette zone, alors que les régions alentour, qui n'avaient pas de population de lynx « normale », étaient déjà frappées par l'épidémie. Cette unique observation ne saurait cependant constituer à elle seule la démonstration du rôle bénéfique du lynx.

La rage, un faux problème

Comme tous les félins, le lynx peut contracter des maladies comme le typhus, le coryza ou la rage. En ce qui concerne la rage, les récents progrès de la virologie ont permis d'identifier dans la nature différentes souches du virus rabique. Certaines de ces souches, notamment celles que l'on rencontre en Europe, présenteraient un pouvoir pathogène moins important sur le chat que sur le renard. Le chat domestique est 300 000 fois moins sensible à la rage que le renard. Le lynx et le chat sauvage semblent partager avec le chat domestique cette relative résistance au virus rabique.

La maladie est mortelle pour le lynx ; elle se manifeste par une paralysie généralisée de l'animal. Le lynx ne sécréterait, comme les chats, que très peu de virus par la salive. Même s'il peut être atteint de rage, le lynx ne constitue donc pas, a priori, un facteur de transmission. □

La réintroduction du lynx dans toute l'Europe

L'homme a toujours chassé le lynx, mais cet animal très discret, très adroit, lui inspirait à la fois respect et crainte. Piégé à outrance depuis le Moyen Âge, devenu presque légendaire, il suscite aujourd'hui un intérêt renouvelé qui, souhaitons-le, le sauvera de l'extinction qui le menace...

Vénération antique et terreur médiévale

■ Au néolithique, les hommes du Jütland, au Danemark, portaient en amulettes des griffes et des dents de lynx, censées éloigner les crampes. À Rome, les premiers lynx apparurent dans les jeux offerts à la population par Pompée. Les Romains payaient très cher la pierre luggurienne qu'ils achetaient aux navigateurs. Cette pierre très rare, qu'ils prenaient pour de l'urine de lynx cristallisée, était réputée pour ses nombreuses vertus, notamment celles de guérir l'ictère ou d'éliminer les calculs de la vessie. Les Anciens prêtaient au lynx une vue exceptionnelle, d'où la formule « un œil de lynx ». Celle-ci trouve cependant son origine dans la confusion entre le lynx et le héros mythologique Lyncée, pilote des Argonautes, qui, grâce à sa vue perçante, était capable de guider le navire même par gros temps. Les Romains attribuaient au lynx la faculté de voir à travers les corps les plus opaques, bois ou murs de pierre.

Le lynx est vénéré et craint par les hommes qui le chassent jusqu'au Moyen Âge, où il inspire une véritable terreur, plus superstitieuse que justifiée. Ses attaques contre les animaux domestiques sont en fait plus rares que celles des loups. Le lynx est baptisé alors loup-cervier (qui mange les cerfs) et décrit comme un loup à robe zébrée ou mouchetée qui tue ses proies pour n'en consommer que la cervelle. Les archives de cette époque témoignent de nombreuses confusions entre lynx, loup et chien. Le félin est assidûment piégé et son aire de répartition se réduit progressivement.

À partir du XVIIIe siècle, les effectifs de lynx subissent un second recul très net. Bien vite, ne subsistent que quelques noyaux répartis à travers l'Europe. Le lynx est victime du commerce intense de sa fourrure, mais aussi de la découverte, puis de la généralisation des armes à feu. De plus, les autorités organisent une lutte intensive contre les grands prédateurs, considérés comme concurrents directs de l'homme. Cette lutte s'achève avec l'extermination de ces animaux. Le lynx devient ainsi, au début de ce siècle, une espèce en voie d'extinction. Par sa rareté, il prend définitivement sa place dans les mythes et les légendes. □

Nourrir un petit lynx au biberon est parfois indispensable lorsque la mère a été tuée par des braconniers. Sans elle, il ne pourra pas apprendre à chasser pour subsister et ne pourra donc pas être relâché. Un jeune lynx constitue une proie facile pour les loups et les renards.

Les peaux de lynx toujours très prisées des fourreurs

■ D'après une étude sur la disparition des trois grands prédateurs européens : loup, ours et lynx, c'est en 1462 que l'on voit apparaître les peaux de lynx, ou lousserves, dans les livres de comptes des fourreurs. La fourrure du lynx est classée parmi les plus précieuses et les plus coûteuses, avec celles du léopard et de la genette. Dès cette époque, les peaux de lynx sont rares et sont comptées à la pièce.

Le commerce des fourrures s'intensifie considérablement à la Renaissance. On y taille de belles couvertures et des pelisses. En 1495, les robes du duc de Savoie sont faites de fourrures de martre, de genette et de ventres de loups-cerviers. Pendant le règne de François Ier, le ventre d'un lynx vaut 30 livres, une martre argentée de très belle qualité 15 livres et une genette noire 12 livres.

De nos jours, la chasse du lynx est autorisée par certains pays dans un but commercial. En 1985, l'U.R.S.S. a proposé à l'exportation 4 114 peaux de lynx de Sibérie, les rapports ne faisant pas la distinction entre cet animal et le lynx d'Europe. Ces chiffres subissent de grandes variations. En 1983, le total était de 255 alors qu'il atteignait 1 015 en 1984. En 1987, le prélèvement autorisé était de 4 300 lynx. Chacun de ces félins est payé de 127 à 200 roubles au maximum, c'est-à-dire moins de 200 francs français.

De 1980 à 1983, la Namibie et l'Afrique du Sud ont exporté 6 392 peaux de caracal.

21 860 peaux de lynx roux ont été prélevées sur l'ensemble des États-Unis entre 1970 et 1976. En 1970, l'une de ces peaux valait environ 11 dollars, alors qu'en 1976 la même peau atteignait 110 dollars. 80 à 90 % de ces fourrures sont exportées vers l'Europe.

En pelleterie, on appelle actuellement encore « chat-lynx » ou « chat-cervier » les lynx d'Europe occidentale et méridionale. Les lynx d'U.R.S.S. et du Canada sont appelés « lynx boréal » et « lynx canadien ». Aujourd'hui, un manteau en fourrure de lynx du Canada est toujours très prisé par la clientèle. □

La vie du lynx en Europe aujourd'hui

■ Le lynx tolère bien la fréquentation humaine, à condition de pouvoir préserver des moments de calme indispensables à ses activités de chasse et de reproduction. En revanche, il peut être dérangé par les battues au chien courant et les grandes perturbations forestières au printemps. Elles peuvent l'inciter à modifier ses habitudes et gêner la reproduction.

Outre le piégeage et le braconnage, les facteurs de mortalité sont surtout la chasse, lorsqu'elle est autorisée, la rage, le manque de nourriture et les accidents routiers. Dans les pays où ils sont présents, aigles, loups et renards tuent beaucoup de très jeunes lynx.

La mise en place d'une stratégie de préservation de l'espèce n'exclut pas toujours l'éventualité d'une chasse du lynx.

Lorsque l'espèce est largement répartie et que ses effectifs le permettent, la chasse est en effet le plus souvent autorisée. Un plan de tir est défini chaque année. Il permet de limiter les prélèvements et d'éviter que les effectifs du noyau de la population de lynx concernée ne diminuent.

La chasse du lynx est rarement organisée. Elle se fait le plus souvent au hasard des rencontres. Parfois, on utilise une meute de chiens ; le lynx poursuivi se réfugie alors dans un arbre, où il est capturé et tué. Quant au piégeage, il se réalise le plus souvent aux alentours des proies ou grâce à des cages-trappes.

En Tchécoslovaquie, de 30 à 100 lynx sont capturés chaque année par piégeage. Ces prélèvements ont permis de réaliser toutes les opérations de réintroduction prévues dans les différents pays européens.

Les autres pays où les lynx d'Europe peuvent actuellement être chassés de façon réglementée sont la Suède, la Finlande, la Norvège, la Pologne, la Roumanie et l'U.R.S.S.

La plupart des pays prélèvent de 10 à 100 individus au plus par an. Les autorisations de chasse sont motivées par le contrôle des effectifs. En U.R.S.S., le problème est différent. Le piégeage et la chasse du lynx constituent une activité commerciale basée sur la fourrure. □

Un félin nécessaire au milieu forestier

■ Vers les années trente, la rareté de l'espèce, le morcellement des populations et les menaces qui pèsent sur les derniers noyaux de peuplement aboutissent à la campagne de protection et de réintroduction à laquelle nous assistons de nos jours. Les pays européens décident de protéger l'espèce et prennent des mesures dans ce sens : la Suède en 1923, la Roumanie en 1933, la Tchécoslovaquie en 1934, la Finlande en 1962... En France, le lynx est considéré comme définitivement disparu.

Dès 1970, le groupe Lynx International formule le vœu de protéger l'espèce là où elle subsiste et de tenter sa réintroduction dans les pays où elle a des chances de se développer. Des opérations de réintroduction ont alors lieu en Allemagne, en 1970, dans le parc national de Bavière, dans le Jura et dans les Alpes suisses de 1971 à 1976, en Yougoslavie (Slovénie) en 1973, dans les Alpes italiennes en 1975, dans les Alpes autrichiennes et en Tchécoslovaquie en 1978.

À partir de 1983, la France engage une opération de réintroduction dans les Vosges. L'opération est menée par le ministère de l'Environnement et le WWF (Fonds mondial pour la nature).

En 1990, de tels programmes restent totalement justifiés à un niveau international par les objectifs que s'est fixés l'Europe en matière de préservation du lynx. La population globale de lynx, estimée pour l'Europe entre 3 000 et 5 000 individus, est extrêmement morcelée, et le développement économique probable des pays de l'Est risque encore de réduire son aire de répartition.

Cette situation dramatique explique pourquoi, aujourd'hui, le lynx est protégé par deux conventions internationales, celle de Washington et surtout celle de Berne, mise en place en 1976 par le Conseil de l'Europe. Elles assurent la préservation de l'espèce et obligent les pays à surveiller les populations qu'ils possèdent.

Par sa présence dans le milieu forestier, ce superprédateur qu'est le lynx aurait tendance à disperser les ongulés sauvages qui se groupent aux abords des plantations et à provoquer ainsi une diminution des dégâts causés aux jeunes arbres. En consommant des animaux malades et en dispersant les individus, il provoque un brassage génétique, et, indirectement, améliore l'état physique et sanitaire du grand gibier. Par les prélèvements qu'il effectue sur les canidés (renards...), les autres félidés et les petits rongeurs, le lynx peut participer temporairement à une certaine régulation des effectifs de petits carnivores.

Sa disparition du système forestier pourrait provoquer à long terme des modifications importantes dans le comportement d'autres espèces, comme chevreuils et chamois par exemple. □

Le collier émetteur fixé autour du cou de ce lynx réintroduit dans les Vosges permet la surveillance de tous ses déplacements.

Comment réintroduit-on les lynx ?

■ Ce sont les Carpates slovaques, en Tchécoslovaquie, qui alimentent en lynx les différents programmes de réintroduction menés en Europe. Les animaux sont capturés par des forestiers tchèques à l'aide de cages-trappes, puis sont acheminés vers un zoo du pays, où ils restent en quarantaine durant deux à trois mois. Durant cette période, un certificat sanitaire ainsi que tous les papiers nécessaires à leur exportation sont établis. Les lynx sont alors acheminés vers les pays où ils seront réintroduits.

Les lynx des Carpates arrivent en France par avion, puis ils sont transportés en voiture jusqu'aux endroits de lâcher. Ils sont alors installés dans des cages de prélâcher et nourris de petits animaux vivants (lapins ou poulets). Cette période de prélâcher permet aux spécialistes d'effectuer divers contrôles sanitaires et d'équiper le lynx d'un collier émetteur qui permettra aux responsables de sa réintroduction de connaître son nouveau mode de vie. Le lynx est aussi vacciné contre la rage, le typhus, le coryza et la leucopénie.

Dans le même temps, les responsables de la réintroduction entreprennent d'informer les habitants de la région, adultes et enfants, et les personnes concernées : chasseurs, forestiers, promeneurs, maires et conseillers.

Ils choisissent en commun un endroit propice à la mise en liberté de l'animal, en tenant compte des autres lynx déjà présents dans la région, du sexe de ces animaux et de leur domaine supposé.

L'endroit trouvé, le lynx est alors lâché. Mais toute opération de transfert d'animaux sauvages comporte des risques, accidentels le plus souvent ; certains animaux sont plus fragiles que d'autres et ont des difficultés à supporter cette série de transferts, même s'ils sont effectués dans les meilleures conditions possible. C'est ainsi que, sur les 14 lynx importés de Tchécoslovaquie vers le massif vosgien, deux sont morts à la suite de problèmes stomacaux, probablement déclenchés par le voyage.

Les causes d'échec d'opérations de réintroduction de grands prédateurs comme le lynx sont généralement le fait du braconnage ; cela fut le cas en Allemagne, récemment, où tous les animaux lâchés furent tués par un seul et même braconnier.   □

Prédateur d'animaux domestiques

■ Les cas de prédation du lynx sur les troupeaux de moutons ou de chèvres restent en général occasionnels. Cependant, il est toujours une source de conflits importants avec les paysans — en particulier les éleveurs — qui subissent ces attaques et sont donc très hostiles à tout lâcher de cet animal.

En Suisse, depuis la réintroduction du félin, vivent une centaine de lynx, qui, à eux tous, ont prélevé chaque année de 50 à 70 moutons. Le canton concerné prend en charge l'indemnisation des éleveurs.

En France, le phénomène est différent. Depuis 1984, on observe des cas de prédation dans la chaîne du Jura. Depuis 1974, des lynx, introduits en Suisse dans les années 1971-1972, sont venus coloniser ce massif montagneux. Le nombre de chèvres et de moutons tués par les lynx a été de 4 en 1984, 4 en 1985, 6 en 1986, 29 en 1987, 158 en 1988, 426 en 1989. La brutale augmentation des prises enregistrée à partir de 1988 reste encore inexpliquée. S'agit-il d'individus qui se sont brutalement et simultanément spécialisés ? Des lâchers clandestins d'animaux nés en zoo ont-ils eu lieu, sans que personne en soit averti ?

Le phénomène reste extrêmement localisé : 40 % des attaques répertoriées ont lieu sur trois communes, ce qui correspond à 5 000 hectares, soit 1 % de la zone colonisée par le lynx sur l'ensemble de ce massif.

Les préjudices subis sont pris en charge par le WWF, qui indemnise, depuis 1984, les éleveurs pour les animaux domestiques tués et attribue, depuis 1988, une prime pour compenser le dérangement, à chaque attaque.

Le ministère de l'Environnement encourage le développement des systèmes de protection des troupeaux et a décidé l'élimination de tout lynx spécialisé dans la capture de caprins ou d'ovins, quelle que soit son origine, et même s'il vient d'être lâché.

Dans les Alpes, comme ailleurs en Europe, on ne constate aucun problème avec le cheptel domestique. Et aucun phénomène d'une telle ampleur n'a, jusqu'à ce jour, été signalé dans un quelconque massif forestier colonisé par les lynx. Le facteur déterminant dans les attaques recensées sur la chaîne jurassienne reste encore à définir.   □

Les lynx sont anesthésiés avant leur remise en liberté. Différents contrôles sanitaires très approfondis de ces animaux sont en effet nécessaires. Puis ils sont vaccinés contre diverses maladies : rage, typhus, coryza et leucopénie. Toutes ces précautions sont indispensables pour éviter des épidémies qui se propageraient à travers les massifs forestiers d'Europe. Ces mesures de protection permettront peut-être au lynx de redevenir un hôte habituel de nos forêts. Mais il faut aussi que les éleveurs acceptent cette présence nouvelle.